W9-ABC-413

歷代人物靈修與默想（卷一）

以名之的雲

周學信◆著

楊英慈◆等譯

溫偉耀博士、蔡貴恆牧師真情推薦
王偉強牧師精心導讀

無以名之的雲

作者：周學信
譯者：楊英慈等

出版兼發行者	校園書房出版社 台北市羅斯福路四段 22 號 台北市郵政 13 支 144 號信箱 電話：(02)23653665 　　　　(02)23644001 傳眞：(02)23680303 網址：http://www.campus.org.tw 郵政劃撥第 01105351 號
發行人	饒孝楫
本社登記證	行政院新聞局局版臺業字
字　號	第 1061 號
承印者	盈昌印刷有限公司

中華民國 92 年（2003 年）5 月初版

· 有版權 ·

國家圖書館出版品預行編目資料

無以名之的雲 / 周學信著；楊英慈等譯.
　-- 初版. -- 臺北市：校園書房，民 92
　　面；　公分
　譯自：The unknowing cloud
　ISBN 957-587-785-3 (平裝)

　1. 基督徒 - 靈修　2. 基督徒

244.9　　　　　　　　　　　　92006818

The Unknowing Cloud

by Samuel H. H. Chiow
Published by permission
© 2003 by Campus Evangelical Fellowship
P. O. Box 13-144, Taipei 106, Taiwan, R.O.C.
ALL RIGHTS RESERVED
First Edition: May, 2003

ISBN　957-587-785-3

獻　　　給

我最摯愛的妻子

美蓉

Cecilia Liu
林美枝
12/04/03
L.A.

目 錄

致謝／芝麻開門的滋味／6
新序／再見天光／9
溫偉耀博士序／喜見佳作／11
王偉強牧師導讀／靈修歷程的探索之旅／13
導論：靈命與神學／16

1. 沙漠之星 33
   安東尼修士（Antony of Egypt, 251〜356）

2. 超越自我的神學家 41
   伊夫糾斯（Evagrius of Pontus, 344〜399）

3. 神祕主義神學家 49
   丟尼修（Dionysius the Areopagite, 500？）

4. 「修道院生活規則」的教導者 59
   聖本篤（Benedict of Nursia, 480〜547）

5. 愛慕神的信仰告白者 65
   聖馬克西母（St. Maximus the Confessor, 580〜662）

6. 心心念念在耶穌 73
   耶穌靈禱（The Jesus Prayer, 第五〜八世紀）

7. 蜜汁神學家 79
   伯爾納（Bernard of Clairvaux, 1090〜1153）

8. 戀慕貧窮＆謳歌死亡 87
   聖法蘭西斯（St. Francis of Assisi, 1181/2〜1226）

9. 與主同歷十架之苦 97
   聖波拿文土拉（St. Bonaventure, 1217〜1274）

10. 愛到深處，無動於衷 105
    艾哈特（Meister Eckhart, 1260〜1328）

11. 你是上帝的什麼人 115
    雷斯博克（Jan van Ruysbroeck, 1293〜1381）

12. 人在世界，心在基督 123
    聖金碧士（St. Thomas á Kempis, 1380〜1471）

13. 充溢母性光輝的神聖之愛 ⋯⋯⋯⋯⋯⋯⋯⋯⋯⋯ *131*
　　朱麗安（Julian of Norwich, 1342～1416）

14. 那朵無以名之的雲 ⋯⋯⋯⋯⋯⋯⋯⋯⋯⋯⋯⋯⋯ *139*
　　屬靈操練（The Cloud of Unknowing, 十四世紀）

15. 愛在燈火闌珊處 ⋯⋯⋯⋯⋯⋯⋯⋯⋯⋯⋯⋯⋯⋯ *147*
　　凱瑟琳（Catherine of Genoa, 1475～1510）

16. 假如，上帝有兩張臉 ⋯⋯⋯⋯⋯⋯⋯⋯⋯⋯⋯⋯ *157*
　　馬丁路德（Martin Luther, 1483～1546）

17. 道在凡俗瑣事間 ⋯⋯⋯⋯⋯⋯⋯⋯⋯⋯⋯⋯⋯⋯ *165*
　　聖依納爵（St. Ignatius of Loyola, 1491～1556）

18. 在貧困與富足之間下注 ⋯⋯⋯⋯⋯⋯⋯⋯⋯⋯⋯ *173*
　　聖泰瑞莎（St. Teresa of Avila, 1515～1582）

19. 暗夜靈程 ⋯⋯⋯⋯⋯⋯⋯⋯⋯⋯⋯⋯⋯⋯⋯⋯⋯ *185*
　　聖十架約翰（St. John of the Cross, 1542～1591）

20. 何妨清修庖廚中 ⋯⋯⋯⋯⋯⋯⋯⋯⋯⋯⋯⋯⋯⋯ *195*
　　勞倫斯（Lawrence of the Resurrection, 1611～1691）

21. 讓靈魂不再流浪 ⋯⋯⋯⋯⋯⋯⋯⋯⋯⋯⋯⋯⋯⋯ *205*
　　約翰衛斯理（John Wesley, 1703～1791）

22. 深化生命三祕方 ⋯⋯⋯⋯⋯⋯⋯⋯⋯⋯⋯⋯⋯⋯ *215*
　　沙雷的聖方濟（St. Francis de Sales, 1567～1622）

23. 單單讓神愛你 ⋯⋯⋯⋯⋯⋯⋯⋯⋯⋯⋯⋯⋯⋯⋯ *225*
　　蓋恩夫人（Mme. Guyon, 1648～1717）

24. 天堂路上瑣事多 ⋯⋯⋯⋯⋯⋯⋯⋯⋯⋯⋯⋯⋯⋯ *237*
　　聖德蘭（St. Therese of Lisieux, 1873～1897）

25. 定睛凝神效法祂 ⋯⋯⋯⋯⋯⋯⋯⋯⋯⋯⋯⋯⋯⋯ *247*
　　傅高德（Charles de Foucauld, 1858～1916）

26. 長夜中，無言的傳道者 ⋯⋯⋯⋯⋯⋯⋯⋯⋯⋯⋯ *261*
　　摩敦（Thomas Merton, 1915～1968）

27. 尋找一條回家的路 ⋯⋯⋯⋯⋯⋯⋯⋯⋯⋯⋯⋯⋯ *273*
　　盧雲（Henri J. Nouwen, 1932～1996）

參考書目／*287*
新版推薦／有情的靈修／蔡貴恆牧師／*294*

致謝：芝麻開門的滋味

早在二十年前，在芝加哥就讀神學院時，基督教靈修神學史就像那扇叫著「芝麻」祕密口訣的寶庫，召喚著我的好奇心，使我一再探索。在 Mundeline 的 St. Mary 神學院就讀時，也修了一些相關課程，浸漬於西方靈修學的豐富中。也是在那段光陰中，我初登沉思、默想之堂奧，也認識了經過歷史的風霜仍不減其光輝的十架約翰（John of the Cross）和摩敦（Thomas Merton）等靈修大師。一直到攻讀繁重的博士課程時，這興趣不僅未稍減損，反倒與日俱增。

在研讀早期教會歷史時，讀到一些早期修道主義、禁慾主義的作品，又發現遺世獨立的的沙漠教父，其實也有引人入勝的一面，其作品中對「靈修」的深入探索，更是一股豐富的泉源。其後，亦對方濟會的靈修學和亞西西的法蘭西斯作過深入的研究。因指導教授藍貝登博士（Dr. Belden Lane）的引導，我學會欣賞靈修學中神聖堂奧的重

要性。他的教導和生活給我極大的影響，幫助我欣賞教會歷史中，廣博多樣的靈修前輩。歷時多年，不知不覺間，自己的屬靈生命亦扎根其間，磐根日深。

十一年來，一直任教於中華福音神學院，也一直知無不言、言無不盡地想要將過去所學傳授給學生，試著要激發學生對我們信仰傳統的熱情。無論是課內課外，透過問題和討論，在不知不覺間，我的學生也給了我許多寶貴的教導。時常，因著感受到學生的積極、熱誠參與，目睹這些蒙召全職事奉者的改變、成熟，我的心滿了謙卑與敬畏。十一年來我真正經歷到何謂「教學相長」。

這幾個月更發現，完成一本書，絕不是一件踽踽獨行的苦差事。在這過程中，我發現這是一件結合多人努力的成果，使我品嘗到「同為教會肢體」的滋味。實在因著太多人直接間接的幫助、鼓勵，使得這些古聖先賢得以從圖書館的古老資料中，一一走出，集合、體現，成為走出芝麻門的璀璨寶石。特別感謝蒲公英月刊的魏悌香牧師，三年來一直讓我寫這個專欄，讓我得以將思想訴諸筆墨。也感謝余燕、美資等前後期的行政、美編同工，因著他們的忠心、勞苦，使得雜誌得以月復一月地寄到弟兄姊妹手中。

在持續寫作過程中，也要感謝許多鼓勵我的兄姐、校友，使得這本書得以由夢想中，漸趨真實。要感謝神學院

裡的許多同工，特別是賴建國博士，他那具感染力的樂觀，使我更加欣然振「指」疾「輸」(key in)。也要謝謝十一年前第一次教末世論時的學生楊英慈姊妹，她在兼顧家庭與服事中，仍抽空協助翻譯；同時不可不提到曹明星姊妹，她於百忙中，仍願幫忙翻譯。也要謝謝選修學生楊秀儀姊妹，承擔編務工作，本書付梓之時，她的身孕亦將時候滿足，特此祝福。也感謝素未謀面的林鳳英姊妹，貢獻所長，為這本古老的書穿上電腦繪成的現代彩裝，使它得以有臉（封面）見人。

最後，要感謝我生活中兩位重要的女人—— 妻子美蓉、女兒閨閨（ㄧㄣˇ ㄧㄣˋ），他們直接且親密地分享了我數年來的屬靈生命。謹獻本書，並誌其愛。

周學信

於中華福音神學院

一九九九年六月

新序：再見天光

自從一九九九年夏天《無以名之的雲》首次出版以來，多方的訊息讓我知道：一直有人在讀這本書。這使執筆的人大受鼓舞，也對所有的回應和建設性的批評，心存感恩。這過程也使我益發深信：我們是與衆聖徒（本書所討論到的聖徒）同屬一個「榮耀的團體」。與這「榮耀的團體」一起奔走天路，也常使我感覺到：我是這個超越時空的生命共同體的一員——是屬於聖徒的生命共同體。在基督奧祕的肢體中，無論仍存活或已安息，聖徒生命共同體的成員之間，彼此間的距離僅只一紗堪擬。

本書所論及的聖徒（無論男女），也是個榮耀的團體。當我藉著書卷，受教於其門下，他們也成爲我的良師益友、天路伙伴，使我得以從之汲取力量、獲得鼓舞。和他們交往，無異多了一些睿智、體貼的朋友，從研讀其生平見證所獲致的安慰之情、激勵之功，彷彿他們就在身

邊，與我們同行耶穌的道路。願這榮耀的團體因讀者的投
入，益發壯碩。

　　得悉校園書房出版社慨然允諾，即將重新出版這本
書，又是一番欣喜。感謝蒲公英協會魏悌香牧師承讓原屬
版權，以及校園編輯群的關懷、襄助：文字老前輩吳鯤生
總編、經常錯失交臂的鄭漢光弟兄、殷切催稿的黃玉燕姊
妹、協助編輯的楊英慈姊妹……。點點滴滴的垂詢、幫
助，就像一盞盞的小燈，匯集起來，終使《無以名之的
雲》得見天光。

周學信
二○○三年三月於中華福音神院

溫序：喜見佳作

記得八〇年代初在英國唸神學的日子，初次有機會閱覽二千年來基督教靈修追尋者的作品（自傳、禱文、默想、體驗記錄……），我彷彿踏進一所從未涉獵過的寶庫，只覺得琳瑯滿目，愛不釋手。那時曾想：為何這些屬靈經歷的寶庫，從來沒有全面地介紹給華人教會的信徒？從那時候開始，我就定意：有一天要全面地將基督教豐富的靈修傳統，透過翻譯和推介，奉獻給華人教會。

可惜自從返回香港以後，因為家人疾病的纏繞，及後轉向中國哲學方面的研究，推介基督教靈修傳統的心願，始終未能償還。十多年來，只寫作了幾本有關的小書，和好些講座的聲帶。然而，我並不覺得可惜。因為我看見神個別地興起了許多年輕一輩的敬虔華人學者，在過去十年間紛紛加入這個推介靈修傳統的行列。看見他們的努力和成果，令我更肯定一個事實：神興起一個屬靈運動，絕非

只倚重一個人，而是同時感動許許多多的心靈。

　　喜見周學信博士的新作，平實地全面介紹二千年來基督教靈修傳統中的最重要代表人物和作品。《無以名之的雲》一書不但可讀性高，而且引述精選的原著段落，令讀者對偉大的歷代心靈有親切接觸，增加了一份屬靈生命的感染力。

　　我誠意推薦周博士這本難得的佳作，願神大大的使用它，吸引更多華人信徒的心親近祂。

温偉耀博士
加拿大天道神學院教授
香港基督教卓越使團會長

導讀：靈修歷程的探索之旅

讀一本書有很多方法，但對這本探討靈修的好書，筆者建議可以用三種不同的方式來閱讀：

一、當作一本「自助旅行指南書」來讀

當然這旅行是指內在生命靈修的探索之旅。找幾個安靜的午後、黃昏或夜晚，以一位旅者的心情，瀏覽這一千多年來，廿七種的靈修風光路線——從第三世紀於沙漠苦修的安東尼修士，一直走到廿世紀辭去哈佛教職，專注於關顧弱智者工作的盧雲。

從他／她們的生命及對靈修的歷練，我們會體驗到，原來靈修是如此多姿多采的。一趟靈修之旅下來，我們對靈修認識的深度與廣度，會有相當大的擴展。

二、當作一本「靈修操練指南」來讀

這次，我們不只是旅者。而是這廿七位靈修先輩們的

門徒學生，按著這廿七位屬靈導師的建議，緊緊追隨一番。

如此，我們可以學習東正教傳統的「耶穌靈禱」，反覆的以「主耶穌基督，求祢憐憫我」，來操練不住的禱告，達至「心心念念在耶穌」的境界。

又或者，像庶務修士勞倫斯弟兄一樣，就在庖廚中清修；又或是像蓋恩夫人，放棄人一切的努力，「單單讓神來愛你」；又或者循序的按伯爾納所分辨的愛的四部曲——為己愛己、為己愛神、為神愛己、為神愛神——向靈程高處直奔；又或是像摩敦一樣，進到人群，體會他所體會的「我愛所有的人，他們是屬於我的人，我也是屬於他們的人」。

三、當作一本靈修「神學」來讀

這時，我們不只是旅者、門徒，更是一位思辨、分析、綜合的學者。事實上，這一千年來的廿七種（位）不同的靈修遺產，代表著羅馬天主教、東正教、更正教、男性、女性等不同的觀點與體驗。

若我們稍加歸納整理，便會發現，儘管他／她們都深切愛主又蒙主深愛，他／她們的經驗、看法，有一些卻是完全南轅北轍的。

下面一些刻意相對的詞組，可以作為第三種閱讀的指

標：可知／不可知；入世／出世；神的榮耀／基督的十架；嚴苛／率性；無動於衷／與神聯合；樂觀／苦修；認識自我／認識神；個人獨處／群體承擔；言語談論／生活見證；按部就班／棄絕努力；理性／神秘……。

　　若我們邊讀邊思索分類這廿七位屬靈聖徒的靈修觀，便會找到各自的座標，同時，我們也可反省我們自己既有的靈修，又是座落在哪一個方位及層次中。

　　感謝神，讓周老師涉獵靈修神學廿多年後能出版本書，筆者誠心的企盼卷二的出版，同時也盼望，儘管靈修是相當的個人性，一如本書封底所言：「靈修默想的內容與形式絕對是個人性的；我的體會，你無法完全理解；你的經驗，我無得重複模擬……」，但如何避免流於過分主觀及情緒化，也就是如何在聖經真理的啓示與個人經歷中取得平衡，盼周老師能在卷二的出版時，為我們從歷史中爬梳出一些更具體的原則及指引來。

　　（本文蒙允轉載自《基督教論壇》一九九九年八月29日「讀書樂版」，謹此致謝）

王偉強牧師

臺灣浸信會神學院專任教師

015

導論：靈命與神學

談到「靈命」，我們自然而然地就會想到，靈命是內在、主觀的屬靈品質，並沒有理性解釋的成分在其中。我們幾乎不會視「靈命」為一項客觀、可以批評的事情。通常我們認為靈命是個人性、情緒化、主觀經歷的事情，而把神學歸類成公眾性、理性，以啟示為基礎的學問。

兩極化的看法

這種兩極化的看法，正急速地矮化「靈命」的地位，使靈命成為一種缺乏心理與理性運用的神人關係。這個看法對神學也有傷害，在這種看法裡面，神學變成一種缺乏心靈與熱情參與的神人關係。新舊約裡的神，用祂自己的

形像創造男人與女人，並全然地與受造者相互交通。若有人認爲，我們與神相交只要運用頭腦，而不需運用心靈，他就是違反了基督徒對神的了解與認識。

其實，靈命是神學性的課題，而神學也是靈命的活動，不論一般流行的說法爲何，神學的確是屬靈命的。若神學失去了屬靈的活力與目的，神學立即會變成一種技術工具，或變成索然無味的經驗哲學。此時，神學不再被視爲上好的屬靈活動，只淪爲一些喜好理性思考者的必要活動。事實上，神學活動是群體性的，它必須作爲服事教會之用，而不是少數人的專利品，只用來滿足他們對神學的求知慾，並藉此來自抬身價。

台灣的教會充斥著靈命與神學，兩極化的不健康思想。雖然，近年來，不少的教會領袖開始包容神學及神學院教育。但整體說來，許多人對神學依舊持有懷疑，對從事神學者及神學院也多持保留態度。他們恐怕神學是種網羅，追求教育與思想，可能會把人引到異端裡去。這種對神學的懷疑與保留，使許多教會與神學隔絕，並使他們將任何與神學有關的人、事、物，都貼上特種標籤，上面寫著：人的事業、屬社團的、欠缺神直接啓示的榮耀、不屬靈的。在他們的心裡，耶路撒冷與雅典是毫不相干的兩碼子事。

在這兩極化的思潮下，許多教會就無法在靈命與神學

上得到平衡的發展。結果，教會不是過度追求靈命，就是過度追求神學。有些信徒傷心地指出，台灣的教會早已被靈命淹沒，氾濫成爲「泛靈命主義」。不幸地是，這般豐沛的泛靈命屬靈能力，並沒有使台灣這個「方舟」漂浮起來，進入復興的航道。相反地，台灣的教會卻在下沈，擱淺在這泛靈命主義裡，進退兩難。

兩者過與不及的追求

不過，並非所有的台灣教會都陷在過於追求靈命，而忽略了神學的光景裡面。相反地，有一些教會落在過於追求神學，而忽略了靈命的光景中。教會裡也有一群人，他們對教會及教牧人員的現況並不滿意。其實，這群人一直在我們的身邊，他們也引頸期盼復興早日來到。

他們之中，有些人是平信徒，有些人也曾經是教會領袖。有些人因爲對教會感到傷心失望，就離開教會，讓教會自生自滅。有時候，這些人會像先知般勇敢地向教會直諫無諱，可惜，教會卻充耳不聞。甚至，教會對他們產生反感，責備他們目無尊長，缺乏聖經的謙虛與順服。最後，這些人對教會的異象、建議，被教牧人員看成不切實際的空談。

我們也已聽膩了精英分子的抱怨。然而，在這些聲浪裡，夾雜著幾許驕傲、勢利，也流露出對現今教會的不

滿，當面對神學事務的討論，他們抱怨教會及神學院不成熟、跟不上時代、不用心等。他們因自己具有神學知識，可以敏銳察覺出教會的問題，因而洋洋得意。他們以為對教會發出批評才可拯救教會。雖然一些教會排斥「現代」神學，在神學上，他們仍自封「現代」。

這些人因向教會發出挑戰而自覺興奮。他們認為自己是對抗古老傳統的現代鬥士。這種「神學宗」裡的「精英」分子，因通曉最新的神學趨勢，而在教會領袖及神學教師面前沾沾自喜。無論他們或說或寫，總要不時地展露一手，讓別人知道他熟讀現代神學家的著作，例如田立克（Tillich）、莫特曼（Moltmann）、古鐵熱（Gutierrez）等。

結果，熟讀神學作品，相信神學巨人，幾乎變成這些高級知識分子基督徒的象徵，他們彷彿是一個葡萄酒品嚐專家，能夠分辨各類神學。其實，熟讀神學並不是種詛咒，但如果我們以為，神學若套上所謂的「德國派」、「偏激派」、「現代派」，就成了上好的神學極品，那就落入盲目、迷信的推崇。

這些「心懷好意」的精英分子不知不覺中，亮出了他們的底牌，原來他們都是十八世紀思想啟蒙時期的模範後裔；他們認為思想啟蒙運動為人類帶來理性的解放與擴張，使人的心靈得到生命。他們對理性的力量深信不疑，

並無止盡地追求客觀的事物，不料，這個信念對他們的靈命及神學卻是有害無益。

在這些哲學裡，又以實證哲學拔得頭籌，獲得最多的青睞，其體系乃是以可觀察之現象及實在之事實爲基礎。毋怪乎，這些實證主義的擁護者輕視靈恩運動，他們急於與靈恩運動中，敬拜、讚美聚會所表現出的情緒主義、經驗主義劃清界線。在他們眼中，大庭廣衆間的感情流露與宣洩，都是沒有水準、低教育水平、欠缺涵養的行爲。

不可諱言，在教會中的確有些信徒的表現過於激烈，無法控制，極端依賴一時的感覺。但這種情形，只有在人們高舉主觀的經驗爲信心的內容時，才會產生。此時，經驗變成基督徒信心的源頭及目標。而這些不是眞正的靈命，因爲眞正的靈命是全面性的、富於感情、又有穩定性。愛德華滋（Jonathan Edwards）在《宗教的愛情》（*Religious Affection*, p. 59）裡寫道：「眞正的宗教家大部分都含有聖潔的愛情在裡面。」由此看來，這些精英分子對教會裡，沒有節制、偏激的靈命感到憎惡，也是其來有自，並非無的放矢。思想啓蒙運動使其跟隨者將所有非理性、激情的事物，歸類爲神祕、不可解。其實，最好能取兩方的長處，使神學變得更有生氣，使靈命變得更有思想。

啓蒙運動的深邃影響

另外，那些看重靈性過於神學的信徒，他們雖然經常強調個人的信心，卻也不能免於思想啓蒙運動的影響，或許有人對上述這個推論感到相當驚訝，難道嚴守重靈性傳統的教會領袖，也難逃思想啓蒙運動的潮流？

在教會裡，雖然許多人對神學討論缺乏興趣，並將屬靈的低沈，歸咎於對理性過分的依賴。可是他們卻不自覺地受理性影響，並在證道、解經、末世論中，大量地使用理性。例如：倪柝聲在其著作《屬靈人》裡，雖然他引用多處的聖經，卻無法掩飾他借重諾斯底心理分析，勝過他引用聖經考古學，倪柝聲仔細地將人的靈的作用，分爲直覺、交通、良心，將人的魂的作用，分爲感情、思想及意志。

除倪氏以外，許多基要派的中國教會，也接受思想啓蒙運動的推測，視宇宙爲一個井然有序的宇宙，因爲創造者已將次序安置在其中。因此，「超智慧」的計畫用圖像、解釋來證明神有次序的計畫顯明在世間。他們認爲理性必須包含神的存在，並且這位神能夠向人自我啓示，這些基要派可能激烈地反對思想啓蒙運動的推測與結論，然而，他們卻同樣地與啓蒙思想者，運用同一個推理方法，那就是透過「引用的證據」獲得眞理。所以，儘管基要派

或靈恩派，口頭上不願承認他們跟隨思想啓蒙運動的潮流，在實質上，他們已成爲其信徒。

另外，這些教會也熱中於理性的護教，勝過他們對神學的興趣，他們對宗派的興起及其所面臨的挑戰也相當好奇。而調和宗教與科學的重責大任，更是他們的首要工作。當人們把護教放在神學之上，作爲教會的焦點時，不可避免地，教會愈來愈接納、包容文化的價值標準。這份護教的狂熱，在今日教會的刊物、演講、佈道中，隨處可見，俯拾即是。

雖然，中國基督徒聲稱耶路撒冷與雅典無關，卻不知不覺地污蔑雅典的智慧，以求耶路撒冷的勝利，爲了打擊崇高理性的不信思想，中國基督徒不智地採取下策，藉用思想啓蒙運動的推測，最後，這些引用證據的方法，以及對基督教世界觀的證明，將基督教矮化成一種倫理，也將基督與邏輯混淆在一起。

重新傾聽真理的聖靈

不論教會是太重靈性或太重神學，我們若要解決教會的困境，不能單單只靠加強神學教育，只靠復興教義的解說。也不是靠一個冷靜的頭腦或靠一顆火熱的心腸，當然更不是依靠外來講員靈恩派式的講道。我們唯有不斷追求靈性與神學的平衡，這才是今日教會所迫切要尋求的。

神學家該做些甚麼來幫助教會呢？首先，神學家要「聽」。一個神學家必須訓練自己去「聽」。傾聽應當優先於所有的神學思想及神學講論。傾聽是神學的基礎，人要打開心胸來聽聖經、聽傳統、聽聖靈。神學需要培養人傾聽聖靈的習慣與紀律。不幸的是，傾聽聖靈這一項常不受重視，缺乏正確的教導。但唯有透過聖靈持續的引導及指教，才能產生真正的神學，神學也才能發揮功用。聖經上說：「只等真理的聖靈來了，祂要引導你們明白一切的真理。」（約十六 13）「只有神藉著聖靈向我們顯明了，因為聖靈參透萬事，就是神深奧的事也參透了。」（林前二 10）真理的靈引導、參透信心的奧祕。因此，教會及神學家都要謙卑地聽從並緊緊跟隨。

神學是屬靈的紀律，以聖靈的引導為根據的紀律。聖靈的指引是神學的精髓，顯然地，聖靈不是一個「元素」供神學家支配左右，或放在顯微鏡下仔細檢查。當我們明白神學的精髓後，我們自然會對神學生出一份敬畏、虔誠，因為在其中有聖靈的同在。也正因為聖靈的同在，神學不同於宗教哲學、比較宗教，或是宗教心理學。

這就像神學家巴特（Barth），在其著作《福音神學的介紹》（*Introduction of Evangelical Theology*）裡所說的一般。巴特說：「神學顯然可能是屬靈、以聖靈為主的神學。唯有透過聖靈，人才能明白神學是一門富批判性，又

能使人快樂、謙虛、自由的，屬神福音的科學。唯有秉持勇敢的信心，相信聖靈就是眞理，神學才會自然而然地同時發問，又同時回答有關眞理的疑問。」（p. 55）

神學是一種「生活的方式」

巴特的觀點不同於許多的神學家，因爲在本質上，神學不僅是「科學的」而已。儘管神學包含了科學層面，其中有許多的科學數據、歷史可證明的想法與教義，但神學最重要的目標卻不只是知識（$Scientia$）。德國敬虔主義創始人施本爾（Philip Spencer）正確地描述神學說，神學不只是一門科學，而是一種「生活的方式」（$habitus\ practicus$，參 $Pia\ Desideria$, pp. 103, 115）。這都因爲神學辯證的首要目的，根本就不是客觀化的。其實，我們神學辯證的對象是神，並非一個物體，而是一個主體，是「稱」爲全能的神。漢堡的神學家邸立基（Helmut Thielicke）在其《神學第一步》（$A\ Little\ Exercise\ for\ Young\ Theologians$）書中，也發出警告說，神學的研究落入一種危險，就是思想第三人稱的「祂」，而不思想爲第二人稱的「你」。這種危險乃因爲人們「……將人與神的關係轉變成純技術性的資料而已。當我讀聖經卻不再覺得這是神在對我說話，只覺得聖經是需要花工夫註釋的東西時，我與神的關係就落入純技術性的資料了。」（p. 33）

當神學辯證把這種「你」的關係，減化成知識或是數據時，神學就不再與它首要核心的主題有任何關聯了。因此，在我們從事神學思考時，很容易以為我們擁有自己不曾創造的力量，並精通自己根本無法全然掌握的東西。就彷彿馬丁‧布伯（Martin Buber）所說：「永恆的『你』在本性裡不會成為『它』，因為依其本性，『你』並不是用有限的方式來建立的……，然而，因為我們人的本性，我們都不斷地把永恆的『你』變成『它』，把神變成一件事情。」（I and Thou, p.112）

這樣的神學屬靈層面，或許會立即威脅到許多人，尤其是那些對聖靈工作不熟悉或不願親近聖靈的神學家。他們雖然經常懇求聖靈，卻是言不由衷。因為他們恐怕聖靈降臨會改變既有的一切，會超過他們原先控制的制度，甚至會羞辱先前講過的「科學之后」。他們雖然尋求自由與開放，但因為他們並未在聖靈裡尋求，這一切至終成為他們的夢魘。

完整基督徒生活的三個元素

台灣的教會正在尋求神學與靈性的更新，馮胡格（Baron Friedrich Von Hügel, 1852～1925）的見證對我們將有助益。儘管我們對他並不熟悉，他也不是基督徒，而是天主教徒，他的見解卻充滿見識，值得我們深思。馮胡

格是一位天主教神學家，一生大部分在英國度過。他不但從事學術研究，也是同時期宗教家的精神導師，其中包括了知名的神祕學派學者恩德曉（Evelyn Underhill）。馮胡格認為，一個平衡、健康的基督徒生活，應該包含宗教的三個元素，就是知識、歷史及神祕的三個層面。因這三個元素間創造性的張力，而產生完整、豐富的基督徒生活。

首先是知識或科學的元素，亦即在宗教生活裡，妥善地使用神所賦與的知識。知識包括了學術性的研讀、辯證性的研究。換言之，這就是教會裡教導的使命。雖然，今日教會普遍設有成人主日學，但教會並沒有忠實地完成神所託負教導的使命，以至於「反啟蒙主義」及「反知識主義」充斥教會，甚至有些教會領袖及會友，還以此不正常的現象為傲。如果缺乏知識的要素，我們將誤入歧途，把信仰變成迷信，彷彿傳統的民間信仰一般。但是，現今台灣教會要向這個多元化、科技化的社會為主發光，我們可能需要強化教導的使命，勝過強化傳福音的使命。

第二個元素是歷史或制度的元素，它使我們將信仰扎根在歷史的啟示裡。我們敬拜道成肉身的耶穌基督、獨一的真神，而教會被呼召來向世人表明這個歷史事件，並要用話語及行動，與世人分享神的福音。不幸的是，台灣的教會在見證福音的話語及行動兩方面，都相當脆弱，教會的宣告常常只侷限在講台上，對外面的世界幾乎不曾發生

作用。根據基督耶穌道成肉身的邏輯，教會應當效法基督，用適當合宜，看得見、摸得著的方式來傳揚福音。可是，今天台灣的教會經常令人看不見，也叫人摸不著，而教會卻仍未從這景況中醒悟過來。我們實在要更新教會，使教會能立在山頂高聲地向這世代喊叫。

第三個元素是神祕或情緒的元素，在這個元素裡，我們與神之間有活潑的關係，祂是我們的神，也是我們的愛人，我們是祂的子民，也是祂所愛的。這個奧祕使我們愛慕神並敬拜祂。然而，在我們的敬拜裡經常看不見這份奧祕，因此情緒只是受到主日崇拜的讚美詩歌激發而出。如果沒有生出敬虔的情緒，就會生出一種沈重的罪惡感，覺得自己沒有盡到責任一般。這份神祕或是情緒的元素，在我們的教會常常遭到扭曲而變形，人們把它與敬虔主義混在一起，產生製造一種亢奮的情緒。但是馮胡格卻教導說，這三個元素缺一不可，有了它們才可能擁有一個平衡、有效率的基督徒生活。如果其中一個元素特別顯大，就會造成不平衡，最後醞釀出一片混亂。反之，如果忽略其中一個元素，則會造成靈命貧乏。換言之，馮胡格所提出的三個元素可以綜合如下：用我們的聰明、智慧來認識神；透過教會這個體系來服事世人；透過愛戴與敬拜來愛神。

當然，馮胡格的理論並不是萬靈丹，然而，它的確給

我們一些亮光。教會如何在知識、歷史、神祕，這三個屬靈元素裡取得平衡，這是一個艱鉅的挑戰。今日基督教多半傳承自十六世紀的宗教改革、十八世紀的啓蒙運動，這些傳承強調聖經、教義的研究、正確的信仰及信仰裡理性的層面。

台灣教會的自我警醒

另外，中國文化的特質及民間信仰，使教會傾向道德主義及神祕主義。因爲許多基督徒要求主觀的經歷，就容易流入過度的自我反省及自我中心的陷阱。如果台灣的教會一味強調靈恩經驗，或一味強調神學思維，最後教會所追求的復興會無疾而終，無法帶出眞正的果效。我們要鼓勵教會追求復興，但也要自我警醒，因爲今日教會復興的路線，或許不是追求屬靈的經歷，也不是更多的神學思維，而是更合乎聖經、有辨識力的平衡吧！

結語：靈修學的重要性

研究「基督教靈修學」必然關係到基督教的過去與傳統。凡尋求住在聖靈裡的人，必要承認自己是含括在這源遠流長的歷史中，其根脈之深遠，無可計量。在教會面對「功用主義」和「活動主義」的誘惑時，這樣的認識尤其重要。過度著眼於現在的思潮，而忽視過去的方法與智

慧，實在有它的危機存在。對大多數人而言，「過去」常意味著老舊、過時，而「新的」常是較好的。打著「進步」與「更新」的口號，我們不斷在拋棄歷史與傳統。我們極需回到基督信仰的起源，對於過去那些曾極力尋求藉著聖靈的同在與能力，住在基督裡的靈修人物，我們實在應該予以重視，應該以更深的歷史性之覺察，承認它的重要性。

　　有感於這需要之迫切，觸發了我研究的動機，而成形於每期《蒲公英月刊》的「靈修神學」專欄。開闢這專欄，為要介紹一些卓然出眾、活出基督所給呼召的聖徒，冀望能呈現出他們回應呼召、親近那完全者的不同方式。因此：

　　1.這是一本與歷史有關的書，溯源自早期教會以迄九六年甫去世的盧雲神父等，在歷代基督教的靈修學上，對後世留下深遠影響的先賢。

　　2.這也是一本超教派、具普世性的書，所包含的不只是更正教傳統，也有羅馬天主教、希臘正教的傳統。不僅止有男性聖徒，也包含了好幾位女性靈修作家。

　　在每個時代中，都有人尋求用合適的方式，藉聖靈的同在與能力，活出基督裡的豐盛生命，如安東尼修士

（Antony）、朱麗安（Julian of Norwich）、十架約翰（John of Cross）、約翰衛斯理（John Wesley）、摩敦（Thomas Merton）等皆是，他們都體驗到：除聖靈之外別無他途。當然，在這唯一的「道路」基督耶穌裡，有許多途徑。聖靈在許多不同的文化、不同的時期工作，呼召基督徒恰如其份地向外表達他們的生命，以卓然不凡的方式去瞭解這世界，立身於這世界。同樣的聖靈也作工在歷史的事件、希望、痛苦和應許的光中。

在每個世代，人們都曾試著努力去「避免單單沿襲過去的方式」，且試著去「發現新途徑」，以達到滿有基督風範，以臻與人、與神聯合的境界。正視過去的歷史，使我們得以透視出這些作品中所呈現歷代聖徒的努力。

在每個世代的基督徒都應藉著回顧傳統，以及早期基督徒的群體，以幫助我們洞察出：在我們所處的時代，當如何在基督裡活出豐盛的生命，這是肯定的。聖靈會提醒我們所有耶穌所言、所行，以作我們言行的表率，這是很自然的事。但有時，看似無所遵循的時候，激勵我們走出新路來的，仍是聖靈的工作。這正是我們在靈修傳統中所可以找到的這些偉大心靈導師的經歷。如今看來，他們是傳統的，但在過去，他們所呈現出的屬靈生命並非當時主流派所容易了解的，並且極少被社會及教會核心所接納。

「基督教靈修學」不僅止是基督徒生命的「某一層

面」，而是基督徒生命的「全面」。同樣地，基督教靈修學不僅止是爲教會中這種或那種屬靈的、敬虔的人而有；基督教靈修學是爲所有受洗歸入基督身體的人所擁有的。

在傳統中，已蘊藏了許多屬靈的智慧，讓我們學會由其中汲取豐富的資源與更新的泉源。讓我們透過聖靈能力與同在，與這些古聖先賢（無論是神父、主教、僧侶或神秘主義者）——佔據基督教靈修歷史中永不褪色的扉頁——並肩齊步，一起跟隨基督。

基督是我們的「道路」。

（曹明星譯）

沙漠之星

安東尼修士(Antony of Egypt,251~356)

沙漠之星

安東尼修士（251～356）

許多基督徒為了親近神，增養靈命，到教會做禮拜，參加特會，甚而到郊外參加退修會。教會及牧師們也認為，這一切的聚會對基督徒的靈命有很大的幫助。聚會中設計了聖經的教導與學習。基督徒也相信這些聖經的信息，可醫治我們屬靈的疾病，調整我們與神的關係。然而，我們雖強調分離主義，卻從未真正具體實行，那就是到人跡罕至的遙遠之地，在那兒尋求與神更深的相交。

替代殉道者的修道制度

一千多年前，主後第三、第四世紀時，在埃及有許多基督徒，離開了原來居住的城鎮，進到荒涼的沙漠，為要

追求他們理想的屬靈生活。移居沙漠的風潮，帶動了沙漠
修道院的蓬勃發展。修道主義是一種與世無爭的生活。在
修道院，人們藉著各種方法，一心一意追求完美。嚴苛的
苦修，長時間的默想，服事神，服務人，這些都是修士們
的日常生活內容。

　　修道主義是如何興起的呢？這要向上追溯到主後第
二、第三世紀，羅馬早期的殉道者時期。當時敬虔的基督
徒，將殉道視爲奉獻、愛主的最高表現。面對羅馬政府的
迫害及異教敗壞的社會風氣，殉道者寧死不屈。到了主後
第四世紀，君士坦丁大帝受洗成爲基督徒，並推崇基督教
爲國教，從此許多人湧進教堂，教會卻也開始與社會摻
雜。這時，有一些有心之士成立了修道院，並期望用修道
主義來抗衡教會裡的世俗化。漸漸地，修士替代了殉道
者，成爲基督徒心目中的英雄及聖者。修士中有弟兄也有
姐妹，他們活在世上卻不屬於這個世界。他們是屬神的聖
潔子民，受到人們的景仰、尊崇。許多人到修道院請求修
士們爲他們祈禱、醫病、解答人生的難題等。

埃及沙漠的安東尼修士

　　在這些修士裡，埃及的修士安東尼（Antony of Egypt,
251～356AD）是其中蒙召進入沙漠修行，最有名的一位修
士。他在世寄居的日子有一百零五年。安東尼過世不久，

就有人為他立傳，諸多傳記裡，以早期教父北非亞歷山大的亞他那修主教（Athanasius, 296～373AD）所著的《安東尼傳》（The life of Antony）最受人知曉。亞他那修在主後 325 年，因為堅持尼西亞信經中耶穌完全神性的主張，遭受反對基督與父神同等的亞流主義擁護者的迫害，被放逐到沙漠，與安東尼在沙漠裡相互認識。

根據亞他那修所著的《安東尼傳》，安東尼出身於一個富有的家庭。十七、八歲時父母過世，留下他及妹妹二人。有一日，安東尼讀聖經，聖經說：「你若願意作完全人，可去變賣你所有的，分給窮人，就必有財寶在天上，你還要來跟從我。」（太十九 21）他的心受感動，立刻變賣所有的財產，分給窮人，並將妹妹寄託給當地的教會照顧。之後，安東尼到鄰邊的村莊追隨一個長者，這個長者終生專心單單祈禱，過著隱士般的生活。漸漸地，安東尼愈遷愈遠，往沙漠而去。起先，他到墳墓去住，在那兒他學習勝過死亡所發出的一切黑暗權勢。

接著，安東尼進入沙漠。有二十年之久，他單獨一人住在皮斯庇爾（Pispir），這是尼羅河東岸的地區，大約在孟斐斯南方五十公里處。一般稱皮斯庇爾為「外山」（Outer Mountain）。在那兒很少人看過他，但安東尼名聲響亮，許多仰慕者跟隨他的修行方式向他學習。最後，這些跟隨者終於尋到了安東尼。

安東尼彷彿從聖殿中走出來，這是一座特別的聖殿，充滿了
奧祕及聖靈。……當他們看見安東尼，他們似乎不敢相信自
己的眼睛，因為安東尼精神奕奕，身材與往昔一樣，並未因
缺乏運動而肥胖，也未因禁食禱告及與魔鬼爭戰而形銷骨
立。……他的靈魂顯得清純潔淨。……站在眾人面前，他看
來是那麼平衡自然，好像完全受理性控制一般。（《安東尼
傳》，14 節）

當時，安東尼四十五歲。許多人到安東尼那兒向他請
益，希望在他指導下學習苦修的生活。最後，安東尼向沙
漠深處遷移直到可任山（Colzim），一般稱之爲「內山」
（Inner Mountain），在那兒安東尼度過了他剩餘的歲月。
偶爾他也會出到「外山」，在那裡住著一些修士，安東尼
也會在那兒接見一些訪客。

沙漠曠野的試探

《安東尼傳》記載了許多魔鬼的事情。安東尼說，魔
鬼總在修士剛剛蒙召的初期，發出它最猛烈的攻擊。魔鬼
用盡所有手段企圖說服新修士，告訴他們修道生活是乏味
無趣的。由此我們可以明白，安東尼遭遇的試探是何等的
大，魔鬼隨時都希望安東尼放棄孤獨的修士生活。但安東

尼用禱告，戰勝了試探。

當魔鬼不能用邪惡的思想搖動修士的心志時，牠就想辦法攻擊修士的五官，牠也用一些異象來威脅、攪擾修士。安東尼告訴他的跟隨者說：

魔鬼常常像全副武裝的兵士來脅迫我，用蠍子、馬匹、野獸、毒蛇來侵襲我的居所。我總是高唱聖經的話來回應這些攻擊，聖經說：「有人靠車，有人靠馬，但我們要題到耶和華我們神的名。」（詩二十10）感謝神的憐憫，我一唱這段經文，魔鬼就飛也似地逃走。又有一次，魔鬼在令人眩目的強光中出現，對我說：「安東尼，我們來這裡為要把我們的光送給你。」我閉上雙眼不屑於魔鬼的光，並開始向神禱告，很快地這光就消失不見了。兩個月之後，一群魔鬼出現，向我唱歌並用聖經在我面前相互交談。我關上耳朵好像聾子一般不聽（詩三十七13）。（《安東尼傳》，39節）

有時候，魔鬼更用幻覺來攻擊修士。魔鬼化成天使向修士顯現，稱讚修士的敬虔為引誘他們驕傲。有時魔鬼讓修士意志軟弱不再堅持修行，有時又虛假地答應修士在天上為他預備一個高位。（《安東尼傳》，35節）

安東尼教導修士們用各式的方法來勝過魔鬼的試探，

包括：祈禱、默想、禁食禱告、愛主、活出基督徒的美德等。安東尼說：

> 親愛的修士，清潔的生活、活潑的信心是魔鬼所恐懼的。請相信我，經驗使我明白，魔鬼害怕那些生活良善、祈禱、禁食、溫柔、守貧、輕看世上虛名、謙卑、充滿憐憫、控制自己脾氣的基督徒，魔鬼尤其害怕一顆充滿耶穌基督愛情的心。（《安東尼傳》，30節）

因此，基督徒實在不可因為疏於行善，而給魔鬼留地步。因為敵人總是在我們的軟弱上攻擊我們。如果我們殷勤服事主，活在主的蔭庇下，魔鬼就不敢來擾亂我們。安東尼會說，只要魔鬼不能得到我們的靈魂，牠就不能真正傷害我們的身體。在魔鬼攫取我們的靈魂以先，牠必須奪去我們屬基督的好品德及禱告的靈。

安東尼用他的一生，表明了對神呼召的單純順服，以及屬靈生活的寶貴代價。屬靈的生活是一場與魔鬼角力的爭戰，在爭戰裡會有很高的傷亡率，屬靈的聖潔也沒有捷徑可循。安東尼向我發出沈重的呼聲，若有人要親近主，與祂深交，就必須準備打一場艱苦的屬靈戰爭。

（曹明星譯）

超越自我的神學家

伊夫糾斯(Evagrius of Pontus,344~399)

超越自我的神學家

伊夫糾斯（344～399）

基督徒的生活，不但是日日新、苟日新的生活，也是一場不得鬆懈的爭戰，在其中佈滿了大大小小的阻礙，而最大、最頑強的阻擾就是「自我」。當人的自我坐大時，人就無法與神保持通暢、愉悅的交通，更遑論嚐到與神合一的甘美了。對於「自我」這個議題，第四世紀的修道士及靈修神學家伊夫糾斯（Evagrius of Pontus），給後代留下深入的分析，使我們更了解「自我」這個阻擾，使我們可以勝過它，得以更認識神，更親近神。

伊夫糾斯（344～399AD）生於小亞細亞的龐都斯（Pontus），一個富裕知識分子的家庭。年輕時受教於迦帕多家三教父之一，迦帕多家省主教巴西流（Basil, 330～379AD）門下。另外兩個主教是：巴西流的弟弟女撒

的貴格利（Gregory of Nyssa）及友人拿先斯的貴格利（Gregory of Nazianzus）。他們三位主教出身名門，精通希臘文學與初代教父的著作，他們對三位一體教義有具體的貢獻，清楚劃分了「本體」和「位格」的教義。巴西流更從三位一體不同的名稱，定義聖父有父性，聖子有子性，聖靈有聖性。而三位的區別則是聖父是非被生，聖子是被生，聖靈是發出。

後來，伊夫糾斯追隨拿先斯的貴格利，師生二人於主後 381 年到康士坦丁堡參加大公會議。伊夫糾斯曾獲巴西流提拔成爲教堂的誦經者（Lector），誦經者的職務是在禮拜儀式中讀經，當時誦經者常常是聖職人員的敲門磚。未料，在一場多災多難的戀愛裡，伊夫糾斯的名譽受到打擊，影響他剛起步的聖職生涯。此刻，他倉惶地逃到曼拉妮亞長老（Melania the Elder in Jerusalem）那裡尋求庇護與安慰。曼拉妮亞是羅馬的貴族，管理一家醫院，這家醫院位在橄欖山，專門收容照顧聖地的朝聖者病患。後來，曼拉妮亞勸服伊夫糾斯到埃及隱居修道。伊夫糾斯有兩年先在尼特亞（Nitria）山區修道，爾後十四年在賽勒斯沙漠（Desert of Cells）修道。在沙漠修道時，伊夫糾斯與六百位隱士一起修道，直到過世。

基督徒生活中的八大危險

修道主義認為，靈魂最大的敵人是一種虛幻的思想（$Logismos$），這種思想混淆人心，使人的心思意念無法專注在生命的實體，而四處飄浮不定。伊夫糾斯將這虛幻的思想歸類成八種，後來迦賢（John Cassian, 365～433AD），將之發揚光大，成為後世俗稱「七樣致死的罪」的濫觴。

第一樣罪是「貪食」。伊夫糾斯認為，貪食並不是過量的飲食，而是對健康的一種焦慮。貪食的思想使人以為疾病是因太多的禁食所發，於是修道士甘冒不韙，放棄修道院固定的膳食，而去吃超過身體所需要、多餘的食物。

第二樣罪是「淫情」。就是放縱情慾的幻想，使人心如脫韁的野馬渴求肉體情慾的滿足。這種淫情並非肉體上與人苟合，乃是心思上的放縱。這個罪使人相信自己屬靈的掙扎終歸無用，只落得悲慘的下場。

第三樣罪是「貪財」。伊夫糾斯認為，這個問題出自人對不實未來所做的空泛籌畫。當人陷在其中時，會生出一種幻想，以為自己即將落入困窘的貧乏裡面，並且不得不伸手向他人乞討才得糊口。若要脫離這種貪財的罪，人必須相信神，把未來交託給神。

第四樣罪是「沮喪」。當人困在沮喪的思想中，只想

到昔日的美好時光,並感歎時光從自己如飛而去,而生活在無限悔恨與沮喪中。

第五樣罪是「發怒」。發怒的思想對於祈禱生活尤其有破壞力。因為一個怒氣填膺的人,是無法開口向神祈禱的。伊夫糾斯表示,這樣的人最後將惡夢連連,甚至生出幻覺。他勸導我們說:「若被人得罪,我們要原諒、饒恕那個人,這樣就可以超越憤怒的場景,終止怒氣。」

第六樣罪是「沈悶」。沈悶的思想使人無力做任何事情,使人對萬事萬物失去應有的興趣。此刻白晝黑夜在人看來已無分別,人對自己的現況開始懷疑,開始魂遊象外地以為,也許自己可以逃到別處展開新的基督徒生活,因而放棄原先追求的方向。

最後兩種罪惡的思想是「虛榮」及「驕傲」,它們是最邪惡的思想。虛榮使人定睛在自己的榮耀上,使人心充滿了自己的成就及美德。人開始幻想自己一夕成名,受到萬人矚目與景仰。驕傲是一種思想,認為人是萬能的,人不需要神。對伊夫糾斯來說,屬靈的驕傲是一種「伯拉糾主義」,人在其中看不見神白白恩典的寶貴,也不覺得需要神的救恩。對付驕傲最好的方法就是謙卑。

會通無動感的純淨禱告

在上述八種虛幻的思想裡,愛自己是這一切錯誤思想

的核心。這些不好的思想，將我們困在一個虛幻的世界裡面，並使我們與神遠離，不得親近神。

我們若要超越這些錯誤的思想，就必須操練自己達到一種圓融、會通無動感（Apatheia）的境界。在這個境界裡，我們對外界事物極其敏銳，內心卻鎮靜不為其所動。我們有能力平靜地對待周遭的人事、自己的過去及夢境。這並不是遲鈍、冷漠，而是一種圓融、會通的境界。

然而，達到這個圓融、會通無動感的境界，不等於一個人進入「禱告——天人合一的境界」。我們或許可以默想，享受屬真理的知識，但是不要滿足於此，要繼續進深到純淨的禱告裡。伊夫糾斯認為，若僅止於此，人的心思反而會渙散，無法專心向神。

其實，最純淨的禱告是一種無我，也超越自己思想的與神溝通。因為神是不受形像、格式所限制的靈，當我們與神合一時，我們的心也要跳脫一切的形像與格式。神並不受人的思想所拘限，因此，關於神的「思想」，也不同於我們心中一般的思想。伊夫糾斯認為，唯有在聖潔的聖父、聖子、聖靈的光照裡，人才有純淨的禱告。神超越所有的定義、特徵、空間限制，因此我們對神的認識也是超越性的。純淨的禱告是所有屬靈追求的最高目標，然而撒但卻用一切的計謀來破壞我們屬靈的努力。

忘卻自我的屬靈人

第四世紀修道士伊夫糾斯的話，即使在今日依然發出它的功效。那就是如果我們心中失去謙卑的情懷，我們就輸掉一切，靈裡一貧如洗。任何的自我滿足及驕傲，都會破壞我們屬靈的追求。我們是何等容易落在自以為義的陷阱中，而不自覺地以自己的靈性為念啊！或許我們很難明白，其實一個真正的屬靈人是一個忘卻自我，不再用靈性做標準來衡量自己屬靈與否的基督徒，乃是以神為中心，不以自我為中心的基督徒。

（曹明星譯）

神祕主義神學家

丟尼修(Dionysius the Areopagite,500?)

3 神祕主義神學家

丟尼修（500？AD）

神祕主義是一個經常被人引用，卻又常被誤用的詞彙。由此可見，人們對神祕主義的了解尚待澄清。其實「神祕主義」（Mysticism）這個字，字根的意思就是「神祕」，源自古希臘的宗教信仰。當時，加入這個希臘教派的信徒，必須信守祕密，不將聚會儀式向外公開，唯有信徒才能得知其宗教的儀式。如此相傳、演變，到後來人們只要遇見神祕的事，就立刻把它與「神祕主義」連在一塊兒了。

人們廣泛地使用「神祕主義」這個詞彙。不過，「神祕主義」並非就等於法術、直覺、準心理學、星象學。它也不是專注於對感官的形象、異象、特別啟示等的研究。其實，神祕主義是一種以「天人合一」為目標的靈命追

求。它試圖描述一種人對上帝主觀經歷、具體、直接、美好的認識，這個認識十分直接，故被稱作「與神聯合」。神祕主義者經常享有與神連結的美妙經歷，並用詩一般意象豐富的語言來捕捉、描繪，這份勝過語言所能盡述的宗教經驗。

輕忽神祕主義

絕大部分的基督徒對神祕主義都相當反感，有些人甚至會對它嗤之以鼻。無意中，基督徒因此輕視、忽略了屬靈生命裡神祕的那個層面。而這份對神祕主義的敵視，主要來自十六世紀宗教改革的影響，因為當時的宗教改革大師，相當強調聖經在基督徒靈命中所佔的地位。這個趨勢影響日後的福音派與基要派，他們也看重以聖經為主的理性神學，或是先知性的靈命，而輕看與神連結為主的神祕神學，或是領悟性的靈命。許多教會及神學院不但將神祕主義視為萬有意志論，或是萬有在神論，又教導信徒逃避神祕主義。福音派神學家畢樓奇（Donald Bloesch）就如此批判神祕主義，他說：「教會整個神祕主義的傳統，受到新柏拉圖主義的影響，強調神的內在宇宙性高於神的超然存在性，以致最後演變成萬有意志論，或是萬有在神論。」（參 Donald Bloesch, *Essential of Evomgelical Theology*, Volume Two, 1979）

肯定神學與否定神學

在神祕主義傳統中，有一位最具影響力的作者，後人稱他做亞略巴古的丟尼修（Dionysius the Areopagite），並以為他是使徒行傳十七章 34 節裡面所講的丟尼修。其實不然。這位神祕主義作者丟尼修，可能是主後五百年左右的一位敘利亞修道士。相傳他寫了下列四本書：《天國的聖級制度》（The Celestial Hierarchy）、《教會的階級》（The Ecclesiastical Hierarchy）、《聖潔的名字》（The Divine Names）及《神祕神學》（The Mystical Theology）。

若要了解丟尼修的神祕主義教導，我們需先談一談認識神的兩種方法：理性參悟及神祕參悟。我們對神的理性認識是屬於理性神學，而神祕神學卻不是透過理性，乃是經由一種無法言傳的直覺。人的理性的確幫助我們認識神，但這份認識並不完全，實在不能將之稱為對神的知識。因為神祕神學家丟尼修受到新柏拉圖主義的影響，進而強調神是超越人的理性，無法完全明白，也是超過人言語所能形容的。

理性參悟是肯定神學認識神的一種方法。在肯定神學裡，神是萬物的創造主，祂滿有智慧、權能、善良、美麗，神是一切的真理。但是，人的理性也告訴我們，神超越我們所有美善的觀念。

其實，人間一切美善的詞彙、觀念，都不能完全描述神。若我們透過否定神學（神祕參悟），跳出傳統理性參悟的窠臼，我們就可以更多認識神。否定神學幫助我們掙脫那些，透過肯定神學對神而有的所有認識。

丟尼修在其所著的《聖潔的名字》裡寫道：

人經由一切事物來認識神，但神又不是事物本身。人試圖用觀念、理性、觸覺、意見、領悟、想像等，來為神命名。然而，神超過人的這一切。神一方面可以為人所認識，但另一方面，神又不能為人所認識。當人們領悟到神高過人們的知識、理性、想像、感覺時，人就開始讚美至高神。當人們的眼目不再定睛在一切事物上，甚至不在自己身上時，就有不可測度的智慧閃耀在心中，人開始更深認識神。（*The Divine Names*，第七部分，第 3 頁）

神不但高過人所能稱呼祂的一切美名，祂又遠超過人間智慧所能測度的，我們憑自己的聰明智慧實在無法認識神。丟尼修在《聖潔的名字》中又說：

那麼，我們要如何講論屬神的聖潔美名呢？若我們的言詞、知識都不能描述這位超越的神，我們要怎麼辦呢？若超越的神雖在萬事萬物中，我們卻又不能用觀念、想像、意見、理

想、言語來親近祂,我們要怎麼辦呢?若神不能用人間言語來講說,我們如何能認識神呢?(*The Divine Names*,第一部分,第 15 頁)

丟尼修的話,難道是告訴我們放棄人間的努力嗎?叫你我甘願停留在對神的無知裡面嗎?當然不是。我們千萬不要膽小退縮,因為除了肯定神學外,我們還有否定神學。例如:當我們說神是愛,我們心裡浮現人間之愛的圖像。但事實是,神不同於人間的愛。「神是愛」遠勝過人間的至愛。所以,我們甚至可以說,神不是「愛」(意指人間的愛)。丟尼修認為,在我們初信時,肯定神學幫助我們認識神,但是信道越久之後,我們就更需要借用否定神學來認識神。

所以,神祕神學家丟尼修認為,神祕神學比理性神學更好、更妙。閱讀屬靈書籍、聽牧師講道,都不能幫助我們真正認識神,使我們真正認識神的,是藉著神祕的參悟。而這神祕的參悟不是屬於人的一種想像,而是神的恩典,一個白白的恩典。

這兩種——肯定神學與否定神學——追求認識神的方法,與冥思默想的兩種方式,極為類似。誠然,丟尼修對西方宗教靈性的發展史,有極深遠鉅大的影響。第一種默想方式,就是運用想像力,把神想像成光、天父、牧人,

任何聖經中正面積極的圖像，活化在我們腦海裡，恍如就在我們面前。

第二種默想方式，剛好與前者相反，是利用「倒空」的技巧，也就是不把神想像成任何事物，諸如光、牧人等，因認爲神遠超過表相，這些意象實不足描繪神於萬一，甚或有誤導的危險。在這種強調「菩提無樹，明鏡非台」的傳統默想方式，與神相遇是一種玄祕的感覺與經驗。這位隱藏的神，即使向人啓示祂自己，也是像蒙著一層帕子，只能讓人隱約心領神會。

第一種默想方式，肯定神是可以讓人藉著想像，來認知、親近，但第二種默想方式，卻警惕追求者，以光、牧人來假想神的實體存在，很可能把神侷限在某種意象或文字中，以致模糊了神眞正的本體。換句話說，這種「倒空」的沈思默想，爲的是要經歷「天人合一」的境界，上帝不是用頭腦理性來分析了解，而是用心靈，在愛中與神相會。

理性心靈兼而有之

肯定神學強調理性的參悟，而否定神學卻強調情感、心靈的頓悟。前者讓我們用理性認知來認識神，也就是系統神學，此類以基督徒爲代表；尤其是改革宗的基督徒，深以聖經爲基要眞理，認爲包羅萬象的聖經，足以顯明神

是怎樣的一位神，對神的認識領悟，毋需超過聖經的範圍，任何心靈上摸著神的感覺，常被視爲過於主觀的經歷，會危害信仰，不足爲訓。神只要藉著查考聖經，理性的參悟，即可認知了解，至於藉著冥思默想，與神親近，並非絕對必要。

只有頭腦明白神的知識，卻缺乏與神個人關係的經歷，對否定神學派的基督徒而言，是貧乏不屑的。然而靈恩派的基督徒，又過度強調個人的屬靈經歷，卻忽略了聖經的查考，實爲美中不足。事實上，心靈與理性的分野並不是那麼絕對，這樣的對立實可避免。純正有深度的信仰，對神的知識，既有理性的認知，也有心靈的體認，兩者兼而有之，並不偏廢，否則就不算爲平衡、健全的基督徒生命。若單有一種，這種基督徒生命就有問題。總之，追求認識神的方法，不只一種，而且也沒有一個套用的公式，作爲遇見神的法則。若有人說有，我們一定要質疑、拒絕。

丟尼修對如何認識神的教導，提出兩種方法，其目的不是要將肯定神學與否定神學對立分開，乃是使其相輔相成，爲要認識同一位眞神。事實上，在查考聖經對神有頭腦知識上的認知後，還需加上冥思默想，主觀經歷到神同在的感覺，才算對神的啓示，有較深入的領悟，這樣的信仰才能在你生命裡生根長大。無論是初信者，或正在追求

成熟圓融靈性的基督徒，丟尼修的玄祕神學是極有幫助的
引導與參考。

（曹明星、吳秀蘭合譯）

「修道院生活規則」的教導者

聖本篤(Bendict of Nursia,480~547)

「修道院生活規則」的教導者

聖本篤（480～547）

謙卑是教會所看重、所鼓勵的一項美德。在基督教的傳統裡，謙卑更是備受推崇。奧古斯丁說過一句名言：「如果你問我在基督教裡，首要的教訓是甚麼。我會回答說是謙卑。謙卑是首要，也是第二、第三重要的教訓。」

耶穌基督正是基督教謙卑的最佳典範，並且主基督為門徒洗腳的這項典故，也常被引用。但是，今日許多人誤解了真正的謙卑。教會中有一些教師，甚至熱心地讚揚基督耶穌的倒空自己，認為謙卑需要忠心信徒的卑躬屈膝、自貶身價。其實這是一種錯誤的看法，缺乏聖經與神學的依據。當然我們都知道，罪玷污了當初神造我們最初的形像，但是，罪卻無法全然摧毀人是依神形像而造的這個事

實。換言之，我們常要謙卑地看待自己的成就。但不是自我作踐，自我厭惡，也更不是懦弱、無能。

傅士德（Richard Foster）說，謙卑就是一個人盡可能地依照眞理而生活，這個眞理包括對自己眞實、對別人眞實、對周遭的世界眞實，一個謙卑的人是一個懂得幫助別人的人，他總是顧念別人，絕不自我中心。

究竟我們怎樣贏得謙卑這個美德呢？說來有趣，謙卑就像許多的美德，若我們不斷注目在這件事上，我們就永遠不能擁有這個美德。聖本篤在這件事上，對我們有很好的教導，我們應該好好地思想他的教導。

群體的修道生活

聖本篤（Benedict of Nursia，約 480～547AD）這位西方修道主義之父，出生在呂西亞（Nuasia）的顯貴之家，年輕時被送到羅馬讀書。沒有多久，聖本篤因爲無法忍受羅馬的荒淫、腐敗，他在主後 497 年離開羅馬，到羅馬東邊的城鎮 Enfide，加入當地苦修的基督徒，後來又有三年的時間到 Subiaco 山獨自修行三年。獨自修行時，聖本篤在蕁麻、荊棘的樹叢中赤裸地亂滾，直到身體被蕁麻、荊棘的刺刺傷爲止，他用這個方法來抵擋守獨身的種種誘惑。

不久之後，許多人來拜訪聖本篤，跟隨他。聖本篤也

接受這些人成為自己的學生，教導他們。主後 528 年，聖本篤與他的學生到卡西諾山（Cassino），在那兒建立第一間聖本篤修道院。聖本篤在修道院寫下了他那有名的著作：《修道院生活規則》，後來這本小書使聖本篤名垂青史。

雖然《修道院生活規則》相當簡短，卻深深地影響了日後數百年的修道主義，它不同於極端的苦修主義，《修道院生活規則》所追求的是智慧的修道院次序，雖然內含了嚴謹的規條，但絕沒有不妥的苛待、苦責，其中一項最基本的屬靈規則，是勞力操作與虔敬祈禱的連結，即 *Ora et Labora* 這個座右銘。這項規條要求修士一天七次祈禱，中間並穿插勞力操作、適量的飲食及睡眠，成為日後西方修士的生活準繩，直到今日始終不輟。

贏得謙卑的十二步驟

聖本篤認為，透過心智、身體、靈裡的三方面活動，人漸漸可以過著謙卑的生活。聖本篤借用聖經裡雅各的天梯，討論贏得謙卑的十二個步驟。縱然這些建議已有一千多年的歷史，今天卻也很難找出比聖本篤更具體的屬靈原則了。

聖本篤對謙卑的教導是依照聖經：「凡自高的必降為卑，自卑的必升為高。」（路十四 11～十八 14）十二個步

驟也是根據聖經而來。

第一個步驟是：過一個敬畏神的生活。人深切知道，我們的心思意念都敞開在神面前，不得隱藏，因此人就敬畏神。第二個步驟是：謙卑的人愛慕神的旨意，勝過他自己的意思。人並不沈溺在追求滿足自己的願望裡。第三個步驟是：爲了愛神的緣故，人甘心謙卑順服自己在地上的上司。聖本篤認爲，順服是謙卑的要素。以上三個步驟是針對我們人與神的關係，這都是最基礎的功課。

第四個步驟是：耐心。謙卑的人能超越困難、委屈、矛盾，而依然保有耐心、絕不放棄，最後終會勝利。第五個步驟是：謙卑的人不隱藏自己的罪。反之他勇敢承認自己的罪，毫不保留。第六個步驟是：知足地生活。第七個步驟是：謙卑的人心裡認爲，他實在是不如別人。第八個步驟是應用在住在修道院的修士們：他們絕不做修道院所沒有要求的事情。

下面三個步驟與舌頭的控制有關。第九個步驟是：控制自己的舌頭，除非有人問你問題，否則就不出聲，保持安靜。第十個步驟是：不輕易大笑，因爲一個人高聲大笑是一個傻瓜。第十一個步驟是：人與別人說話要節制，要鎮定。最後一個步驟是：人不但在心裡謙卑，在行爲上也謙卑。

從微小處謙卑順服

在上述的十二項步驟裡，聖本篤的屬靈原則精華都在其中。若有人想攀登這十二個階梯，就要先敬畏神，這樣做，也就會擁有完全的愛。在每一個步驟中，都可發現瑣碎、簡單，日常的教導。但這些都是爲了神的愛。因爲在許多微小、不起眼的事情、習性裡，我們常常絆倒自己。當我們開始從小處著手來超越自己時，我們就會漸漸進到謙卑的地步，擁有謙卑的美德。

（曹明星譯）

愛慕神的信仰告白者

聖馬克西母(St Maximus the Confessor,580~662)

 5 愛慕神的信仰告白者

聖馬克西母（580～662）

在今日教會中，我們對西方的拉丁基督教比較熟悉（指羅馬教會及拉丁國家所特有的信仰內容與儀式。自馬丁路德宗教改革之後，分裂爲天主教與基督教，直到今日），而對東方的希臘基督教較生疏（指東歐及西亞之非羅馬天主教教會。包括希臘、俄國、敘利亞，並其他斯拉夫國家。又稱希臘正統教會、希臘東正教或東正教，本文沿用此名）。

東西方教會的分道揚鑣

我們大部分的神學思想與靈命觀，也都深深的根植於西方傳統中。然而，在本世紀初，東西方的差異僅止於文化上而已，教會在靈裡卻是合一的。當時許多古老的城

市，如耶路撒冷、安提阿、以弗所、亞歷山太、羅馬，以及較晚的君士坦丁堡等，每一個城市都有一個主教。但羅馬的主教逐漸開始主張，他應具有超過其他主教的權柄，導致東西方教會的分裂。希臘東正教會與西方拉丁教會的分裂是逐漸形成的，東方以君士坦丁堡爲中心，西方則是以羅馬爲中心。一般說來，羅馬大公教會與東方正統教會的分道揚鑣，是在主後 1054 年，但涉及關係糾葛的年代，則自主後 800 年綿延到 1200 年之久。

東正教會汲取了希臘神學的傳統，和最早期的七個大公會議的精髓（325 年尼西亞會議、381 年君士坦丁堡會議、431 年以弗所會議、451 年迦克敦會議、553 年君士坦丁堡二次會議、681 年君士坦丁堡三次會議、787 年尼西亞二次會議），而產生了有別於西方教會的特殊主張。東正教會的神學主張特別強調三一神論。因著成聖思想（theosis）的啓迪，他們的靈修神學，特別關注基督徒的靈命發展，即關注人類成聖的過程。第七世紀時，東方人中，在神學思想和基督徒靈命觀上，最重要且最有影響力的人物之一，就是信仰告白者——馬克西母（St. Maximus the Confessor, 580～662AD）。

堅護真理的信仰告白者

馬克西母約於主後 580 年，出生於君士坦丁堡的基督

教貴族家庭中。由於才幹與背景的優異，他很快的升遷到擔任赫拉克留（Heraclius）皇帝秘書長的高位。主後 614 年，他離開工作崗位，退隱到克里司波里（Chrysopolis）修道院，成爲一名修士。又於 626 年，時值波斯人入侵歐洲，他離開了修道院，旅行遍及北非和羅馬。他是迦克敦正統信仰的強烈擁護者（聲言基督有神人二性），且反對基督一志說的異端（主張基督只有神性），他說服教皇聖馬丁一世（St. Martin I），召開 649 年的拉特蘭會議（Lateran Council, 649），開除了基督一志論者及其跟從者的教籍。這個行動嚴重的觸怒了皇帝君士坦丁二世（642～648AD），他逮捕了馬克西母，又於 653 年，放逐馬克西母。主後 661 年，馬克西母因拒絕停止進行反對基督一志說的講道，被審以「叛國罪」，結果被判割掉舌頭、斬去右手臂，不久，亡於 662 年 8 月 13 日。因爲他不斷辯證信仰內容的勇氣，馬克西母獲得「信仰告白者」（Confessor）的封號。

愛慕神，與神合一

馬克西母不只是基督眞理的勇敢辯護者、嚴格的神學工作者，也有極深的屬靈生命。他的神學思想核心是「神子的道成肉身」。對他而言，冥思默想的結果應是「與神合一」。這樣的「與神合一」使我們得以像祂，就是我們

所說的「聖化」。這聖化是藉著「愛慕神」達成的。最重要的是因「認識神」的知識而有的愛慕，不是知道一些「關於神」的知識，而是擁有「神本身」的知識。馬克西母警告我們，一個人如果有了任何屬世的戀慕，就不可能培養出對神的愛慕。因此，可以說「愛慕神」是動機，「不戀慕世界、將自己分別為聖」是方法。既然所有的東西都是神所造的，那麼神就比所有的東西更寶貴；既然我們看靈魂比身體更寶貴，神也比世界更寶貴。那麼，任何喜愛身體勝過靈魂，或戀慕世界勝過愛慕神的人，無異於偶像崇拜者。

藉著愛慕神，人的意志得以與神的意志相契合，如唇齒之相契合，就是與神合一。屆時，這個人就會愛神所愛、惡神所惡。既是如此的契合，這個人就得以完全地順服神。因此，藉著愛慕神，人得以聖化，人的意志經過聖化得以驗明就是神的意志。藉著愛慕神，人的意志與神的意志得以合而為一，成為一體。

得與神的性情有分

然而，人的意志聖化為神的意志，應是以基督為中心的，因為，有史以來，人類第一次的聖化就是在基督身上完成的。對基督而言，這兩種意志可以同時並存，但對人而言，人的意志必須折服於祂的神性，是有其主從性的。

因此，基督是我們聖化的模範，也是我們聖化的本源。兩種意志在基督裡同時並存的事實，使得我們「聖化爲神」成爲可能。唯有反省到「人得以成爲神，正是神成爲人的對照樣版」時，我們才能真正領略「聖化」的真實意義。

更明確的說，正如「道成肉身」指的是神的兒子成爲人，同樣的，「聖化」指的是藉著聖靈，人成爲神的兒女，成爲神。人並不是靠著自己的行爲或努力來達到神格化，果若如此，那就是「伯拉糾派」的異端了（強調救恩是操縱在人的手裡，人靠自己的意志與努力可以得救）。一個人之所以能聖化，完全是聖靈的作爲。因此我們可以說，這位信仰告白者馬克西母的神學思想與靈命觀的核心，就是基督的道成肉身。

聖化，就是藉著愛慕神、永不止息地與神同化，是所有基督徒靈命成長的終極目標。基督在最後的晚餐中禱告著：「使他們都合而爲一，正如你父在我裡面，我在你裡面，使他們也在我們裡面。」（約十七 21）正如三位一體神的那三位，是在一種永不止息的愛中，互相「住在彼此裡面」，所以，照神形像所造的人，也蒙召要「住在神裡面」。基督爲我們禱告，藉著三位一體神彼此之間永不止息的愛，我們得以分享三位一體神的生命。祂禱告，我們可以被神的愛吸引。同樣的思想出現在另一處有名的篇章，彼得後書一章 4 節：「因此，祂已將又寶貴又極大的

應許賜給我們，叫我們既脫離世上從情慾來的敗壞，就得
與神的性情有分。」這就是我們這些與神的性情有分的人
所必須作的事。人本來擁有神的性情，但後來失去了。這
個失去必須被基督重建，藉著祂自己願意與人合一，基督
得以聖化人性，且透過祂為我們死在十字架上，每個人都
得以成聖。

東正教神學之父

　　要了解信仰告白者馬克西母的「聖化觀」，應對照神
本質與能力的差別來看。「與神合一」意思是與神的能力
合一，而不是與神的本質合一。馬克西母和希臘東正教會
雖然論及「人得以成聖」和「人得以與神合一」，但他們
的意思並不是「人可以變成神」，他們反對所有的泛神論
或多神論。

　　這種神與人之間的「玄祕聯合」，同時是一種真實的
合一，造物主和被造物的合一，並不是成為另一個水乳交
融的個體。這就是嚴謹的馬克西母與東正教所教導的聖化
與聯合，與其他東方宗教信仰所教導的聯合迥然不同，東
方宗教所教導的是「人被神所吞沒」，如「滴酒之入汪
洋」。在馬克西母的玄祕神學中，他強調人被聖化之後，
仍然有別於神。而且，一個人被聖化之後，仍然是個普通
人。他在本質上不會變成神，但就恩典而言、就地位而

言，他近似於神。

　　信仰告白者馬克西母的「靈命觀」，具有豐富的東方正統信仰傳統。也因爲他對於「神子的道成肉身，表達了神對我們不可思議的愛」有著深厚的體會，才能建立出這樣的「靈命觀」。一般台灣教會的講道和教導，大多以救贖事件爲中心，而較少以道成肉身爲中心。同時，我們的屬靈生命，也是較常以道德與律法爲指導原則，而較少談論到「神性的分享」。這樣的信仰內容，僅如寶山之一角，並無法涵蓋「整全的聖經啓示」。因此，這些玄祕的東方屬靈傳統，就如另一處尚待挖掘的寶山之角，值得我們另闢蹊徑，上山挖寶。

（楊英慈譯）

心心念念在耶穌

耶穌靈禱（The Jesus Praye,第五～八世紀）

6 心心念念在耶穌

耶穌靈禱（第五～八世紀）

⌘

禱告是基督徒生活的重要基礎，是我們與神相交的基本動作。禱告不僅僅是將「心裡的意念」化爲「口語的敘述」，更是全人投入地專注於神。禱告是人與神之間的雙向互動，是二者之間的「相互對話」，而不是個人的獨白。然而，我們大部分的禱告經常是「單向式」的自說自話，禱告的內容經常變成生活瑣事的「報告」，或是向神陳列生活所需的「清單」。

在教會中，我們普遍性地鼓勵公衆聚會的禱告，也鼓勵私人個別性的禱告，可是，許多的人還是覺得禱告是件困難的差事。許多成人仍然延續兒童階段所養成的習慣，一說要禱告，就直覺要閉起眼睛、低下頭、雙手作抱拳、握緊，或十指併攏作膜拜狀，然後向「一位住在天上的

神」陳明他的請求。我們的禱告經常是缺乏生命力的，經常是囉唆重複的話語，唯恐所禱告的事項神沒有聽清楚；內容經常是單調貧乏的，因爲我們只著眼在自己小小的生活圈。多數基督徒都不曾在禱告中經驗到「神眞實的存在」。因爲缺乏教導和訓練，我們在禱告時，常常只顧著盤算自己所需，而沒有試著去偵測、察驗神的旨意。我們禱告的態度與內涵，實在需要更新和釋放，而東正教會在這方面，就有許多值得我們學習的地方，特別是他們所教導的「耶穌靈禱」。

耶穌靈禱

在第五至第八世紀之間，曾出現一種深刻地影響了東方基督徒生命的禱告方式：紀念或默唸耶穌的名字，通常稱之爲「耶穌靈禱」或「耶穌式的禱告」；其基本概念是「不住的禱告」。這種禱告並非不斷的想出一些話來禱告，而是需要在每天平凡的生活中，養成一種「心心念念在耶穌」的習慣。就是，隨著一個人呼吸的頻率或心跳的節奏，用一句簡短的禱告辭，不斷重複地，與救主對話。經過一段時間的操練後，這個禱告就可以達到不需要透過意識上的努力，就可以達到自然而然「不住地禱告」的境界。有時候也稱爲「心靈的禱告」。

雖然只是個簡短的默唸，在每個人實際敘述中，也有

許多廣泛的變化。現在，這種「心靈的禱告」最常使用的普遍形式是：「主耶穌基督，求你憐憫我。」這種禱告是在第五到第八世紀之間，經長久時間逐漸形成的，雖然簡短，卻蘊含了四個主要的特質：

1.默想耶穌的聖名，並以此為能力與恩典的來源。
2.懇求神的垂憐時，常伴隨著內心強烈的悲傷感。
3.操練重複的禱告，以一再重複為進深的工夫。
4.尋求恆久的內在寧靜，免於散漫無章的禱告。

這種「耶穌靈禱」經常使用在兩種情況中：第一，在「正式祈禱」的時候，無論是在教會中，或在自己的房間裡，不從事其他活動時，「耶穌靈禱」也可以成為禱告的一部分；第二，在作任何事的時候，都可以「隨意地融入」這種禱告，特別在從事每天的例行工作時，都可以進行「耶穌靈禱」，連一些散亂零碎的時間也可以使用，例如，等候某人出現的時候，否則這些時間就浪費了。

「耶穌靈禱」不僅是眾聖徒靈修經驗的累積，也是一種植根於聖經教訓的禱告。例如：稅吏簡短而衷心的禱告：「神啊，開恩可憐我這個罪人！」（路十八 13）保羅曾勸告眾信徒要「不住的禱告」（帖前五 17）；彼得講道時曾宣告過：「站在你們面前的這人得痊癒，是因你們所

釘十字架，神叫他從死裡復活的，拿撒勒人耶穌基督的名。……除祂以外，別無拯救；因爲在天下人間，沒有賜下別的名，我們可以靠著得救。」（徒四 10～12）都涵括在「耶穌靈禱」的特質內了。

「耶穌靈禱」曾被誤稱爲「基督教的唸經」，然而，「耶穌靈禱」的意義絕對不僅只是有節奏的「和尚唸經」。因爲「耶穌靈禱」對所禱告的對象，採取了一種特殊的、個人的關係，不僅僅是將禱告者的所有思想懸繫在禱告的對象上，而且是與禱告的對象眞實的「打交道」。進行「耶穌靈禱」時，是直接向這位對象發出祈禱，坦誠地告白信仰的狀況，並且相信祂就是神的兒子道成了肉身，是我們的救主。從表面上看，「耶穌靈禱」是一種簡易禱告法，但它的內涵卻是扎根在與神眞實相交，與深入的信仰告白上。沒有與神相交或缺乏信仰告白，就不叫「耶穌靈禱」。

心心念念在耶穌

從早期的教會開始就認爲，「耶穌靈禱」是得勝魔鬼的利器。西奈山聖凱瑟琳隱修院的修道士天梯約翰（John Climacus, 579～649AD）在教導他的學生使用「耶穌靈禱」時，曾說：「以耶穌的名字鞭斥你的仇敵，是天地間再屬害不過的武器了。……紀念耶穌直到與你的呼吸合

一，然後你就會了解寂靜的寶貴價值。」這種簡短濃縮的禱告，同時也被東正教的教師們用來修正、調整性格之用。第九世紀西奈山的斐洛瑟斯修道士（Philotheus）曾忠告說：「透過紀念耶穌基督，得以聚集潰散四處的心思。」因此，「耶穌靈禱」是一種「一再的記念」，是將耶穌心心念念地投入你的記憶中，或者更應該說，是將自己心心念念地投入耶穌的記憶中。如此一來，這樣的紀念就不再是內心寧靜的仇敵或絆腳石，因為它紀念的是神。這種對神的紀念是一種對神的「回想」，是個人經歷的回想，也是活畫聖經的回想，讓神得以進入禱告者現在的意識中，讓意識裡充滿無止無休的禱告狀態。

　　正常而言，禱告中應包含自我發現和自我降服。真實的禱告應能幫助一個人發現真實的自我，且帶來更進一步的「治死老我」與「另謀生路」，這「生路」當然是指由神而生的路。「以神的意識為意識」應是基督徒生命的本質。「耶穌靈禱」的目標就是「以神的意識為意識」，可是大部分基督徒的禱告失敗，就是無法以神的意識為意識。我們的禱告需要超越僅只是「話從口出」，或向神「條列清單」的禱告。禱告必須成為我們力量的泉源，成為我們重新得力的方法。

（楊英慈譯）

蜜汁神學家

伯爾納(Bernard of Clairvaux,1090~1153)

蜜汁神學家

伯爾納（1090～1153）

如果我以回函問卷的方式調查：「你認為，基督徒靈命的核心是什麼？」無疑的，我會收到一堆寫著「愛」的紙片。

神藉著愛完成了祂造世界的目的，神的愛點燃人類靈魂的火花，也使我們因著神的愛，得以學會愛自己。耶穌曾將所有的誡命歸納為二：「要盡心、盡性、盡意、盡力愛主你的神」及「愛人如己」（可十二29～31）。可能因為「實際地愛鄰舍」較比「宣告式地愛神」更能展現人對神的愛，使徒保羅更將第一條誡命歸併入第二條（羅十三9）。

的確，綜觀基督徒靈命的各個層面，如果只能總結成

簡單的幾個字，那無疑是「神愛你」或「回應神的愛」。
在愛與被愛的相互關係上，對我們「自己」和「神」之間
的微妙互動，克勒窩的伯爾納（Bernard of Clairvaux）有
許多精闢的觀察與研究。

中世紀最後一位教父

　　按西方傳統的看法，克勒窩的伯爾納
（1090～1153AD）可說是第十二世紀的時代巨擘。他以
改革「修道傳統」見聞於世，致力於使過於溫和、體貼人
性的聖本篤修道規條，回歸到更嚴謹簡樸的改革。伯爾納
的氣質、魅力、辯才，以及一些充滿神祕神學體驗的講
道，使他成為公認的基督徒完美典範，在他之前的修道院
領袖徒然望塵莫及。

　　伯爾納生於法國的貴族家庭中，當他決定進入修道院
時，還花了一年的時間作準備，最後像招兵買馬似的，帶
了將近三十名親戚朋友和他一起，於1112年進入錫托修道
院（Citeaux）成為修士，三年後即被院長派到克勒窩
（Clairvaux）另創修道院，擔任該院院長，直到安息主
懷。他培育了將近六十名修道士，也間接幫助了其他將近
三百名修道士的培育。

　　伯爾納在講道上頗富盛名，曾奉教皇之命到歐洲各
地，宣揚第二次十字軍東征之需要，因著他的講道，各國

燃起十字軍東征的熱潮。1146 年，更實際以講道鼓舞了參與十字軍東征的騎士。年事愈高，威望隨之上揚，晚年的伯爾納所擁有的尊崇、權力，儼然是西方教會的教皇。

伯爾納曾被東正教教宗庇護十二世（Plus XII）於 1953 年封爲「Doctor」，承認他在生活、性格、學術、寫作各方面，都能充分表達出基督信仰的奧祕。事實上，那則教皇通諭所給他的殊榮是稱他爲「Doctor Mellifluous」，意思是「滿佈蜜汁的權威神學家」。因爲他的教導和其他中世紀神學家艱澀嚴屬的教導比起來，可說是甘甜如蜜，所以，本文姑且稱他爲「蜜汁神學家」。

要了解伯爾納的思想核心，需要閱讀他的教牧著作，特別是「關於神的愛」，以及有關「雅歌」的八十六篇講道辭。在其中，我們可以發現，他對基督徒成長的深入寫照，和對修道傳統的豐富洞察，所用的比喻、所蘊含的洞察力是如此豐富，到目前爲止，仍然是中世紀靈修作品中最偉大的成就。伯爾納如此致力於研究分析基督教的愛，到一個程度，他值得被封爲「博愛博士」（Doctor Caritas）或愛的教師。

自愛四步曲

恰似奧古斯丁之著力於上帝與自我之間的探討，伯爾納在他「關於神的愛」的著作中，也將關於神與自我之間

的愛，分為四個階段。在通篇論文中，伯爾納對愛的成長
作了極完美的分析，起始與終結各以不同型態的「自愛」
相互呼應。整體的安排為要陳明：神的愛是如何滲入我們
的生命，並扭轉我們所有的愛。第一階段的愛是「為自己
的緣故自愛」。於此，伯爾納極具見解地指出：除非先愛
自己，否則我們無法愛別人；除非先愛我們的鄰舍，否則
我們無法愛神。甚至，除非神先愛我們，否則我們不可能
自己愛自己。愛是神先豐豐富富傾注在我們裡面，爾後產
生的各種自然情感效應。正如約翰所說：「我們愛，因為
神先愛我們。」（約壹四 19）

　　第二階段是「為自己的緣故愛神」。這個階段並沒有
比上一階段更敬虔多少，因為仍是為利己的緣故而愛神。
在困難的時候，神來到我們身邊，幫助了我們，因此，我
們的心被神融化了，我們也以感恩的心回報神、愛神。如
果我們時常在困難中經驗到神的幫助，也就是第二階段的
愛反覆重演時，伯爾納認為，那表示我們已在不知不覺間
轉移到第三階段，即「為神的緣故愛神」。

　　在第三階段時，我們對神的愛就不單是因為神為我們
做了什麼，而是因為我們認清了自己，也深深體會了主對
我們的恩慈是何等的豐富！我們會被神深深的吸引，因
此，在這個階段，我們會單純地愛主，而不眷戀自己的意
向好惡。許多人視此階段為人類情操中所能達到的，最高

超的愛,但伯爾納又加了第四個階段,「為神的緣故自愛」。以這個方式自己愛自己,意味著願意將自己交給神,任神處置,願意完全放下自己,以神的意願為自己的意願。

得以進入第四階段的人少如鳳毛麟爪。伯爾納甚至懷疑那些愛主,以至於甘願殉道的聖徒們,是否已達到這一階段?從伯爾納的角度看來,我們對第三階段的處境就已覺得甘之如飴,好得無比,如此一來,愛將不得成長。以達到「為神的緣故愛神」而自滿的,將無法進步到第四階段。

實際上,愛到底要如何才得以成長?就伯爾納而言,愛將無以為繼,除非藉著神的愛。他寫道:

神不僅是愛的啟動器,也是愛的終點站。神自己,成為人類之愛的肇端;也是神,賦予人類愛的能力,觸發人類愛的動機;祂自己就是可愛之物的本體,但祂付出祂自己,成為我們愛的對象。是神自己促成我們愛的成長,以祂自己成就我們生命中不可言喻的狂喜,使我們不致失望落空。神的愛為我們展開了愛的驚異之旅,神的愛也是我們愛的報償。(*On the Love of God, 7*)

信主後,我們對一直被許多教導提醒著,使我們十分

注意自己和他人靈命的高低起伏，但我們對基督徒的靈命觀，還是有許多的盲點。這盲點在伯爾納所教導「愛的四步曲」的光照下，益發顯出我們生命的缺憾。我們不斷習練我們的心竅，然而我們竟然尚未辨識出，「愛神」與「自愛」之間的微妙關係。甚至，否認我們需要適當的「自愛」，以爲我們不需要心靈的滋潤，不需要原諒自己的過錯，不需要對自己的停滯不成長，繼續忍耐寬容。

如果，我們一直沒有學會「愛自己」，那麼我們也不可能開始「愛神」。如果，我們的右腳從未踏上第一步的階梯，左腳將如何繼續登上第二步？而今，伯爾納已經幫我們揭露了靈命盲點的所在，下一步，你當如何踏上你的「自愛四步曲」？

嚐一口伯爾納的蜜汁吧！

（楊英慈譯）

戀慕貧窮&謳歌死亡

聖法蘭西斯(St. Francis of Assisi,1181/2~1226)

戀慕貧窮&謳歌死亡

聖法蘭西斯（1181/2～1226）

～◊～

十三世紀是基督教靈修神學的重要里程碑，也可說是整個中古世紀的顛峰期。因為經過數百年漫長的黑暗時期，許多摸索與努力在這時期漸臻成熟之境，開始結出豐碩的果子，歷史幽晦不明的迴廊中，逐漸露出曙光的端倪。

在這時期的眾多歷史事件中，原本牆垣高築的修道院，竟發展出僧侶以沿街托缽乞食為特色的修會，應是令人側目的一大突破。道明修會、法蘭西斯方濟會、白衣修會、奧古斯丁修道團等皆在此時崛起，個別以不同的行動表達了他們對當代需求的理解，且這理解正符合當時教會與社會的需要。因此這些修會有一殊途同歸的理念：與其將僧侶的身心限制在孤冷的修道院中，不如讓他們隨處祈

禱傳道，以具體地服事世界爲獻身基督的首要職志。因
此，儘管服事的領域和項目有許多的改變，但仍保留早期
修院生活的常規，一起早禱晚禱，順服於修道院院長的指
導，也繼續持守天主教僧侶的基本誓約：安貧、守貞、順
從，只是在誓約的實踐上，融入了對當時環境的因應之
道。

戀慕貧窮

　　在整個中古時期托缽修會的創立者中，最震攝人心、
引人爭議的，當推「小弟兄會」即「方濟會」的創立者，亞
西西的法蘭西斯（Francis of Assisi, 約 1181/2～1226AD）。
法蘭西斯原是義大利富有的布匹商人之子，原名 Giovanni，
因母親是法國人，父親與法國有貿易往來，且喜愛法國吟
遊詩人的作品，及羅曼蒂克、優雅、有格調的生活，故又
爲兒子取了代表這一切生活品味的名字——Francis。因
此，許多亞西西的本地朋友慣稱他 Franceso——意即法國
仔，直到如今，大多數人知道法蘭西斯，卻不知道他的眞
名，只是稀奇這個義大利聖徒怎麼取個法國名字。年輕時
的法蘭西斯風度翩翩，享受著他父親財力範圍內的一切浪
漫、奢華、宴樂，穿著有品味、談吐富幽默感、出手闊
綽、樂於助人，頗得朋友喜愛。

　　正如歷史中的許多宗教領袖一樣，法蘭西斯也經歷了

一些特殊的宗教經驗，這些經驗使他漸被貧窮的生活所吸引。據說，曾經，朋友們發現那一天他異常的快樂，就問他：「發生了什麼事？」法蘭西斯欣然回答：「因為我結婚了。」和誰結婚呢？時常和他在一起的朋友竟然不知道！「我和那位高貴優雅的『貧窮女士』締結良緣啦！」

從那時起，他狂愛一切可以與貧窮人在一起的機會，他與窮人一起吃飯，一起居住，服事被社會唾棄的痲瘋病人，甚至把他所有的私房錢送給這些人。法蘭西斯費心修葺荒郊野外樑柱傾頹、牆垣斑駁龜裂的教堂，自己卻穿著破爛、看不出有何品味的衣服，終日與人的言談中掩不住他的戀慕之情，不住的流露出他對「貧窮」的戀慕。有時，父母親看不過去，添補他日用所需，他又全數送給貧窮人。自從法蘭西斯愛上「貧窮」之後，其闊綽無度的慷慨較比以往更甚，終於使事情演變成和父親對簿公堂的地步。亞西西城主教判決：如果法蘭西斯不願意運用智慧來使用家中的財物，他就必須放棄財產的繼承權。法蘭西斯義無反顧地放棄了，他甚至隨即脫下身上的衣物，還給父親，宣佈與父親脫離關係，不再使用父親的財物，從此稱為「神的兒子」。最後，在眾目睽睽之下，法蘭西斯以赤裸之身，由公堂步入人跡罕至的森林，成為徜徉山光水色、日夜親炙神恩的隱居者。

托缽小弟兄會

　　直到 1209 年，聽到福音書中的篇章，馬太福音十章 7～10 節記載著，耶穌差遣門徒身上不帶錢財、出去「傳道」，醫治病人、叫死人復活、叫長大痲瘋的潔淨。這段經文又爲他帶來極大的啓發。曾經，法蘭西斯體會到過去仰賴父親錢財的生活彷彿一場夢，逐漸遠離昔日的奢華與流行的時尚，唯獨鍾情於貧窮之美。生活的型態產生了一百八十度的轉變。現在，法蘭西斯的幽默、魅力、風度依然如故，只是在享受貧窮之外，他也公開對眾人講論天國的信息，儘管那是個不得自由傳道的年代。因此，他喜歡的地方不再是僻靜的退隱勝地，相反的，他喜歡到熙來攘往的人群聚集處，在那裡他可以傳講福音的眞理，以匡正背道而馳的社會；在那裡他可以服事被拋棄的貧窮病弱者，且享受這服事。這時的他對於「甘於貧窮」已不僅僅是心志上的自我操練而已，更確切的說，法蘭西斯所付出的行爲已超過貧窮者的需求，他以全部的生命來認同貧窮者，法蘭西斯以自身的貧窮，讓自己「成爲」一個眞正貧窮的人。

　　因著新異象的引導，法蘭西斯離開了他的隱居地，重新回到故鄉亞西西，在那裡，他必須面對從前羞辱過他的人，且向他們傳道。不久，竟有一小群人願意跟隨他。當

跟隨者日漸增多，為免於被視為異端，法蘭西斯和其中一些人不得不到羅馬去覲見教皇，以期獲得教皇的認可，得以建立一所新的修道院。經過一番考驗，法蘭西斯果然獲得當時教皇伊諾森三世（Innocent Ⅲ）的認准，得以回到亞西西城繼續他的傳道事工。很快地，從世界各地有許多的仰慕者聚集到「小弟兄會」跟隨他。不久，專為姊妹設立的分會也由法蘭西斯的屬靈姊妹聖克萊爾，又稱「貧窮的克萊爾」（Saint Clare or Poor Clare）所開創，克萊爾清修會所秉持的精神與法蘭西斯的小弟兄會完全一樣。故一時之間，方濟會數以千計的男女修道者外出傳道、情不自禁的吟唱詩歌、沿途托缽乞食等活動，蔚為當時西歐的日常景觀。

傳奇的生平

大多數人認為，法蘭西斯是個生命新鮮活潑自由、不受法規拘束的人，卻不認為他是個具有行政管理恩賜的人。但修會成立初期，一切事物在法蘭西斯神奇的人格感召之下，倒也沒有什麼大缺失。然而，人數迅速的增長，管理益顯重要，新加入者又無法都得親聞法蘭西斯教誨真理，以全人活出福音內涵的真理。法蘭西斯不得不制訂一些清楚的規章，以因應龐大體制的需要。據說這些教規的制訂，實在有違他當初蒙神啟示的理想，曾使他十分困擾

痛苦。但他曾按當時的時尚親訪聖地，也曾向回教徒傳道。

在1224年，法蘭西斯退隱到義大利半島西北部圖斯坎尼地（Tuscany）的拉維納山（La Verna）專心祈禱。在那裡，他為神所託付的強烈感動，尋得了確實的印證，基督受難時的五個傷口，即天主教所謂的聖痕，竟然出現在法蘭西斯的身軀上。十三世紀的許多傳聞都印證這個說法，甚至繪形繪影的描述了六個翅膀的撒拉弗也在當時出現。一位方濟修會的神學家波拿文士拉（Bonaventure, 1217～1274AD）在他所著的《法蘭西斯生平略傳》（*Major life of St. Francis*）中寫著：

大約在基督高升節的某日清晨，正當法蘭西斯在山腰邊禱告時，他看見那擁有六個燃著火焰之光般翅膀的撒拉弗，從天而降。以敏捷的翅膀飛到靠近神人（指法蘭西斯）之處的空中，就在那裡，撒拉弗翅膀中間出現了那位被釘死在十架上者的身軀，祂的手腳延伸出去恍如十架的形狀，且被綁縛在十架上。（十三章3節）

甚至描寫法蘭西斯身上的聖痕：

全然就是基督聖痕的轉化，不是以身殉道而有的傷口，而是

他竭盡心神、縱身基督愛火之中的結果。（十三章 12 節）

謳歌死亡

之後，在他生涯的最後兩年，法蘭西斯寫下了他的曠世名著《太陽頌歌》（*Canticle to the Sun*），其中，他以弟兄姊妹的稱呼來描寫神所創造的萬物，如太陽哥哥、月亮姊姊、鳥兒弟弟等。在這首詩中，甚至「死亡」也被描寫成這位詩人的同胞姊妹，和使徒保羅等其他人，以死亡為人類仇敵的看法大相逕庭。他是如此謳歌死亡的：

讚美我主！
在死亡姊妹的把關下，
有氣息者，無人得以逃脫網羅。
哀哉！因必死之罪而亡的人啊——終將不復回返。
祝福那因個人聖潔意願而進入死亡的人，
第二次的永火之死，將奈他何！

原來，在他的眼中，死亡也是天上聖城的守護者。

祂看顧麻雀

另外，還有許多關於法蘭西斯的傳奇。例如：他與狼

共處而不被饞食；他對鳥兒傳講福音眞理，使鳥兒駐足不去的事蹟，無論其眞實性如何，都是法蘭西斯基本神學觀念的延伸，都表達了神不僅對人類，且是對所有受造物的父性關懷。這些都是他對自然萬物的謙遜和享受，都表達了他對基督受難之苦與父神創造之功的雙重認同。因此，他可以一方面完全遵循他從福音書所領受的眞理，全人投入一無擁有的貧窮生活，另一方面又喜樂自在的信任那創造供應花鳥生活的父神，信任祂必將供應生活一切所需。

（楊英慈譯）

與主同歷十架之苦

聖波拿文土拉(St. Bonaventure,1217~1274)

9 與主同歷十架之苦

聖波拿文土拉（1217～1274）

在目前教會所傳達的信息中，我們對耶穌基督所受的苦楚，多半只賦予瀏覽式的注意。對大部分的信徒而言，甚至只在每月一次的主餐中，或是在一年一度的受難日中，才想起基督所受的苦難。時常，我們是在聖餐聚會時唱著：「每逢思想奇妙十架……」、「各各他山嶺上，孤立古舊十架……」或「至聖之主受重創，稀世痛苦難當……」時，才被詩歌引導，將心思意念轉向基督的遭遇和十架的苦刑。

除開這些轉瞬即過的提醒，我們很少主動將注意力投注在耶穌基督的受苦上。我們喜歡沐浴在得救的榮耀中，而鮮少去尋求了解：基督為我們的得救付上了多高的代價！即便在頗為看重貧窮苦修的方濟修會中，對默想的傳

統,也並非每個人都那麼強調基督的受苦。而「強調基督
的受苦」正是方濟會神學家波拿文土拉,在靈修神學方面
的典型基調。

神祕經院學者

波拿文土拉(Bonaventure,天主教稱之為「聖文
德」)於 1217 年左右,出生在義大利中部的班諾吉歐
(Bagnoregio),於 1243 年進入位於法國巴黎的方濟修
會,並進修於巴黎大學,之後即展現出極佳的寫作才華,
特別是對深奧的神祕主義之解析,頗能雅俗共賞。在這段
期間,因擅長於哲學與神學語彙的分析詮釋,他完成了許
多聖經註釋和中古世紀神學家作品的註釋,例如:當時神
學生人手一冊的教義課本,天主教神學家彼得倫巴底所著
的《四部語錄》(Peter Lombard's *Sentences*),就是他所
註釋的。

波拿文土拉於 1257 年成為方濟修會的部門主管,同一
年被選為方濟會會長。當時方濟會深獲人心的創始人法蘭
西斯剛過世,頓時群龍無首,堪稱方濟會史上兵荒馬亂的
時代,因任方濟會會長一職,波拿文土拉以其優秀的領導
才能服事和他同時期的修士們,直到安息主懷。在 1273 年
5 月,他又被任命為樞機主教,且出任義大利亞巴農(Al-
bano)的主教。就在擔任主教和樞機主教,參加里昂大會

期間，波拿文土拉突然亡於 1274 年 7 月 15 日。

　　他一生中最重要的階段是 1257～1267 的十年之間，這期間他一方面擔任方濟會會長，一方面寫下了有關方濟修會靈修學的重要著作。其中較著名的有《向神進深的靈魂之旅》、《生命之樹》、《愛的火焰》、《六個翅膀的撒拉弗》、《不可思議的葡萄樹》（*The soul's Journey into God, The Tree of Life, The Fire of Love, The Six Wings of the Seraph , The Mystical Vine*）。

　　波拿文土拉的作品標示了一種愛的發展歷程，是信徒對受難耶穌的愛。他不停地默想基督十架上的犧牲所帶來的痛苦，也勸告所有的基督徒要如此默想：

　　真實的基督徒就是那些渴望像主，渴望完全像受難主的人，應該盡最大的努力，在心靈上或肉體上背起耶穌基督的十架，自己才能真實體會基督受苦的內涵，如同聖保羅，他真的與基督同釘十字架了（加二 20）。故此只有他得以經驗到如此澎湃的熱情：每逢感謝基督代贖之恩時，是如此發自心扉；對於耶穌基督被釘十字架，所付出的勞力、所經歷的苦楚、所表達的至愛，是如此的感同身受。以至於從保羅書信中可以看到：他在追憶中散發出強烈的信心、事奉時的才情膽識是如此令人動容、至死忠心的意志盈溢著對救贖之主深摯的愛意。因此他實在配得與雅歌中的新婦同聲謳歌：

「我以我的良人為一袋沒藥,常在我懷中。」(歌一 13)

不可思議的生命之樹

　　波拿文土拉藉著他所著優美的作品《生命之樹》(*The Tree of Life*),希望能在「默想基督受苦的屬靈操練」上對眾信徒有所幫助。所謂「生命之樹」的默想涵蓋了完整的基督生平,從祂與父神原為一、道成肉身、降世為人、公開的生活與事奉、祂的受難、復活、昇天、將來的審判,以及在天上永恆的生命。當然,耶穌本身就是這棵不可思議的「生命之樹」。祂凡人的生命是藉著樹幹較底層的部分表現出來,受苦則是藉著樹幹中間的一段,祂的榮耀則是藉著樹幹上層的一段來表現。小樹枝上結了許多果實,象徵生命中不同的事件,特別是受苦的事件。這些果實後來成為我們靈魂的飽足和滋養。

　　在《生命之樹》這本書中,波拿文土拉邀請眾信徒以直接切入、設身處地的方式,默想耶穌基督的生平,例如:祂出生於伯利恆,而受難與復活則發生於耶路撒冷。那麼我們就應當在默想中把自己放到伯利恆,參與尋找客店的辛勞,甚至實際地聞一聞馬槽的味道;默想自己夾雜在耶路撒冷街道上的群眾中,冷眼看著背負十架、蹣跚而行的耶穌走過;默想自己的手足被巨釘穿透時,火辣麻

刺、貫徹心扉之痛；默想自己垂掛在十字架上時，全身重量拉扯著兩手的釘痕，腦門八方旋轉。波拿文土拉的默想祕訣是建基於福音書的記載，激發讀者的想像力，想見當時的場景，邀請讀者成爲事件中的參與者。藉著如此深刻的進入這則事件，讀者得以深切了解這事件的眞實意義，且得以仿效這事件所啓示出來的耶穌基督的美德。

《生命之樹》所引發的默想，是將默想者的心思意念對焦於「眞實的歷史事件」，而不是著眼於任何虛構的假象或藉著默想表達個人的信心。當一個人默想一則歷史事件時，他應該將自己全然投入當時事件的現場，而不是保持距離的遠遠觀望。當一個人以默想進入某一則歷史事件時，他可能扮演任何一個現場的目擊者，或成爲那個事件舞臺上的參與演出者。默想者眞實出現在那則事件中，事件中的場景、人物，對默想者而言，都是具體的。這則事件也因他的「在場」，而得以展現應有的意義和價值。

與主同歷十架之苦

波拿文土拉之所以會用這樣的方式，處理耶穌的受苦和死亡，應是受了他的老師法蘭西斯的影響。因爲法蘭西斯在默想中竟然得到和耶穌一樣的「聖痕」，且是如此熱誠地獻身於認同基督的受難。所以波拿文土拉在《生命之樹》一書中，以多達三分之一篇幅、十六則默想的項目，

來幫助讀者默想基督所受的苦。他引導讀者藉著認同耶穌基督來進入當時的歷史事件,分享耶穌肉體的苦痛與心靈的苦楚。這些默想有一種傾向,即高度的集中於耶穌身體受苦的細節,以期喚起默想者切膚之痛的同情。因此,他自己也是如此向天上的父神禱告的:

喔,天上的父神阿,求祢垂顧觀看。

從祢的聖所,從祢在高天之上的居所垂顧觀看。

神啊,求祢俯首端詳愛子耶穌基督的臉龐,

求祢俯首垂憐這位聖潔的犧牲者、君尊的祭司,

祂為我們的罪向付出了贖價,

故此,求祢止息對百姓過犯所應發的怒氣。

因祂如此犧牲,我們方得以被贖回。

這位與父為一、至尊貴、至偉大的救主,

為付贖罪的代價被垂掛在十字架上。

因祂的死,我們這些該死的,才得以存活。

因祂的死,使天地同聲哀泣、堅石也要因心慟而崩裂四散!

世人的心哪!

如果每逢思想受難羔羊所做的犧牲,

你竟不會因恐懼而顫驚、

你竟不會因憐憫而動容、

你竟不悔改破碎你的心,

你竟不因這犧牲性命的愛而柔軟你的心，

我只好說：你們的心比石頭更加堅硬。（生命之樹）

廉價恩典的醒覺

要如此深入默想耶穌基督的傷痛，對我們這些被嬌寵慣了的基督徒而言，實在是舉步維艱。或許正因為歷代信徒都傾向於「輕易地忽視了耶穌基督的傷痛」，德國神學家潘霍華（Bonhoeffer, 1906～1945AD）才反諷地喊出「廉價的恩典」。時過半世紀，潘霍華的醒世鐸鐘，直到今日還時常在台灣的基督徒中被傳誦，但我們仍然時常聽到過於簡化、過多糖衣的救恩觀。

波拿文土拉在這方面的教導，正好可以平衡我們在救贖方面，一些先入為主的看法。我們在信仰上享受得太久了！應該醒覺了！因為祂已為我們承受了被釘十架的諸般苦楚，我們這些原應自受苦刑的紅塵眾生，才得以因祂的代贖免去刑罰，轉紅塵入樂河，一起沐恩於宇宙性的救贖歷史中。故此，讓我們彼此提醒：當更多為基督所完成的救贖獻上感恩，當更多為我們導致基督承受苦痛的過犯衷心悔改，當為基督成為贖罪祭所受的苦楚，時興忐忑不安之情。

（楊英慈譯）

愛到深處，無動於衷

艾哈特(Meister Eckhart,1260~1328)

10 愛到深處，無動於衷

艾哈特（1260～1328）

禱告之所以迷人，在於能掏肝剖肺直抒「我」的心聲；然而，禱告最大的問題所在也是「我」，因為我們的禱告中充滿了自我。

為了企求個人心願之圓滿也好，為了做一個全新好基督徒也好，我們經常全神貫注於自我的發展，生活中充溢著各種自我的圖像與理想，只留下小小的空間，讓神可以插手，可以彌補我們生命中的缺憾。即便在禱告中，我們也是以開場白中寥寥數語對神敬拜讚美一下，結束時「願主旨意成就」，中間一長串述說的，則盡是自我構築的動念憂思。

面對這一位令人無所遁形的宇宙造化之主，在禱告時，我們應該如何更主動敞開自己、更多以神為禱告中的主角呢？在自我意識逐日高漲的聲浪中，我們應該如何減少自己先入為主的意念，並且更多關注出於神的動念憂思？這是當代信徒靈命總體檢時，所發現普遍存在的問題。而出人意表的是，對於這個現代的靈修問題，中古世紀德國神祕主義神學家艾哈特的靈修經驗與神學理論，頗有值得借鏡之處。

神祕派神學家

艾哈特（Eckhart）約於 1260 年出生於德國紹令吉（Thuringia），在十五至十七歲間加入道明修道會，曾進修於法國巴黎大學和位於德國科隆（Cologne）的道明神學院。在 1293～1313 的二十年間，艾哈特曾兩度在巴黎擔任神學教師，亦曾數次出任德國的宗教領袖。才華橫溢的艾哈特很容易就在同時期的修士中脫穎而出，薩克森（Saxon）教區剛成立時，他就被選為該區的第一任主教，其中包括四十七所小修道院，涵蓋地區從本鄉紹令吉到荷蘭邊境為止。

1313 年，艾哈特遷居斯特拉斯堡（Strasbourg）教授神學。斯特拉斯堡是一個商業與宗教雙方面發展都相當出色的城市。許多修會在該城內或周圍都設有修道院。從這

時期起，艾哈特更成爲頗負盛名的傳道者、屬靈指導者。1322 年左右，他沿萊茵河而上，回到科隆，成爲道明修道會的董事。

豈料，在科隆早有詭譎的惡勢力環伺等候，科隆總主教一心想摧毀道明會，遂於 1326 年開始以艾哈特爲異端，著手調查他的言行理論。案件被提到教宗若望二十二世（John XXII）處審訊，艾哈特也親自前往教宗所在的亞威農（Avignon）爲自己辯護。雖然推翻了許多誣陷，教宗若望二十二世仍於 1329 年作成裁決，洋洋灑灑的宣告了艾哈特十七點錯誤的主張，且有十一點質疑。然而，艾哈特早已於 1327 年終至 1328 年初期間，因病亡於一所位於亞威農的道明會小修道院。

與神合一，無動於衷

艾哈特，時人稱爲「艾哈特大師」，可見其屬靈指導的地位應屬重量級，且歷數百年而不衰，直到馬丁路德、祁克果，都是艾哈特靈修神學作品的拜讀者。艾哈特的靈修神學，特別在關於人類靈魂「與神合一」的可能性上，具有相當神祕主義的傾向。艾哈特認爲，與神合一是每一位基督徒靈命歷程的最高目標，且唯有透過神的恩典、神白白賜予的恩典才能達到這個目標。同時，他也主張，人類之所以能與神合一，有賴於人類靈魂某種程度上的「近

似於神」，因為我們被造時生命的本質就是與神相似的。
並且，唯有這位與人相似、卻超乎眾人之上的神，才能滿
足人類的靈魂。例如，因為在神有無限寬廣的賞賜能力，
所以人類的靈魂也有無限寬廣的接收能力。有時，因強調
二者之間的相似性，艾哈特對於創造者和被造物之間差異
的描述，會令人有置身雲霧中的模糊感。

　　「與神合一」是一種超越凡俗生活的境界，需要對凡
俗事物採取一種卓然不群、無動於衷的態度，且是在生活
中自然流露的態度，以其不住地對凡俗生活中的美醜、貧
富、情仇、窮達等境遇，體現出卓然不群於凡俗的見解，
甚至無視於這些境遇的存在，才能達到與神合一，恢復創
世時與神本有的關係。艾哈特甚至主張，這種對凡俗事物
「無動於衷」的情操，應高過「愛慕神」的情操。因為
「愛慕神」需要在意識上分辨所愛慕的對象為何、所不愛
慕的對象為何；而一個因「與神合一」而對其他事物「無
動於衷」的人，並不需要在意識上分辨所愛為何、所不愛
為何，因為，他的意識裡只有神。

　　艾哈特也認為，「卓然不群、無動於衷」應是高過
「謙卑」的情操，因為謙卑需要自我否定，而無動於衷則
是超越了否定或肯定的判斷。當我們在他人面前因謙卑而
自我否定時，我們至少意識到眼前這些人的存在。有這樣
的謙卑表示我們尚未達到「無動於衷」的境界，也就表示

我們尚未達到「與神合一」的境界。

持續忘我的操練

那麼，到底什麼是「卓然不群、無動於衷」？「卓然不群、無動於衷」是一種持續「忘我」的操練。持續頻繁的「忘我」，甚至到達出神入化的境界，沒有意識到自己在「忘」。以至於放任自己的靈魂如同「荒渺的沙漠」，廣大而空曠，有足夠的空間任神揮灑運作。艾哈特堅持主張「應當別無所求：既不求心領神會，也不求博學多聞，唯求專一敬虔、幽然沈潛、平靜和諧——若有所求，獨獨渴求神的意念。」（*Germon Sermon*, IV）因此，我們要在意的並不是你做了什麼事，而要在意你是個怎樣的人。與其說「卓然不群、無動於衷」是個追求屬靈成長的原則，不如說「卓然不群、無動於衷」是個不斷自我棄絕的生命歷程。當人滿眼所見盡覺虛幻，滿心所思想盡是神的種種時，我們可以說：他與神達到了「超凡神似」的合一境界了。

如何將「卓然不群、無動於衷」的生命境界帶到我們的禱告中？艾哈特要我們在禱告時，將關於神的思想和我們的自我意念全數拋諸腦後。自我意念是人類耗神費時日夜經營的產物，所思所想盡是自己的需要。這些思想日積月累的成為我們的心像，甚至在禱告中我們還會習慣性的

經營這些心像。艾哈特教導我們要從這些充溢心中的魂思夢想中得著釋放，自由的回應神所引導的思想。為求專一敬虔，我們需要終止這些紛紛擾擾的心靈活動，一無牽掛、赤誠坦蕩、默然無聲，單單專注於神。

艾哈特甚至要求我們如此操練自己：打從屬靈生命的深處，樂意忘卻對世界的牽掛，甚至忘卻去思想關於神的意念。單純來到神的面前，而不帶任何先入為主的思想意念：停止對神屬性的想像、不去回想信息教義中的教導、忘記傳統習慣的禱詞，存著相信和盼望，單純來到「當下的神」面前，等候祂賜給我們「當下的啟示」。

忘卻關於神的思想意念的確有其必要，因為我們常在自己的想像中「塑造」我們以為的神。所以，如果我們能拋棄自以為合理性、合邏輯的思維模式，那也將幫助我們成為屬靈金牛犢的終結者，不再扭曲對神的看法。艾哈特說，若有人樂意追求「對神以外的事物卓然不群、無動於衷」，神就樂意將自己啟示給他們。對於那些能夠擺脫自我心緒之紛擾的人，他們將發現神把愛子的生命賜在他們裡頭。

看看艾哈特在講道詞中是怎麼說的：

……我們心中的事都將無所隱藏：無論我們處在什麼景況中，或剛強或軟弱、或喜樂或悲愁，當將所有的事向神敞

開，全然交託給祂。即或心中有任何其他戀慕執迷，也當忍心割捨。因為究其實，如果我們向神揭露我們自己，神會回報我們，神會以向我們揭露祂自己做為我們向祂敞開的回報。事實上，神對關於祂自己的一切，絕不向我們隱藏絲毫，無論是屬靈的智慧、絕對的真理、玄祕的奧蹟、超然的神性，無論任何事，神都願意向我們敞開。（第 68 講詞）

所有思緒——向神敞開

關於這一點，艾哈特還指出：如果我們無法辨識心中幽暗隱藏的所在，如果我們任憑各種戀慕執迷繼續蟄伏盤據心頭，那麼我們就無法開啓靈命更新、進深的「清倉之旅」，因你既然不知何所衷情、必然不知何從棄絕。因此，我們需要讓生命在壅塞的思緒中急流勇退，衷心敬虔地承認我們內裡的實況：為健康前途而焦慮、躁怒猜忌、情思浮泛、魂牽夢繫的臉龐到處遊竄、訕笑政壇的動盪、關注股市的迭起，甚至偶然對神審判或救贖的想像……。任何你意識得到的思緒都要在神面前一一承認，然後令它們一一消卻，必要時，一而再地重複這樣的思想操練，容讓深沈的寧靜得以油然而生，深信就在寧靜油然而生的當下，神就像你自己一樣，不知何時起，就已存在你的裡頭了。神以超乎你所能理解的方式，無須言語就能讓你認識

祂。然後，因著神仁慈無比的作為，深奧難測的啟示就發生在你身上了。在聲音消失殆盡、無法測度的生命內裡，你得以「與神合一」了。

艾哈特所洞察的不錯，有許多基督徒極其講究宗教禮儀和屬靈敬虔，卻拙於向神敞開自己。內心中充溢著許多關於神的思想，卻無法超越自我的思想、直接與神合一。但是，如果我們確實重視自己的屬靈生命，終有一天會捫心自問：「如何得以更多的向神敞開？如何得以更專注的傾心於神？」艾哈特的靈修體驗無異是一劑大補帖，對於我們向神敞開的量度、傾心的深度都將良有助益。

（楊英慈譯）

你是上帝的什麼人

雷斯博克(Jan van Ruysbroeck, 1293~1381)

你是上帝的什麼人

雷斯博克（1293～1381）

在給哥林多教會的書信中，使徒保羅提到屬靈的人、屬肉體的人，以及在基督裡的嬰孩等生動的比喻，來描繪我們屬靈生命的狀況。這些栩栩如生的比喻，對於了解我們屬靈生命的景況極有幫助。它對我們屬靈生命成長的地步，提供了強而有力的提醒。同樣的，許多靈修學的作者也使用類似的比喻法，描寫我們屬靈成長的不同階段。其中一位就是雷斯博克（Jan van Ruysbroeck），他對屬靈生命的分析不僅擲地有聲，且有正面的教育果效。

感性與理性的結合

雷斯博克在 1293 年出生於靠近布魯塞爾的村莊。1304

年，他追隨了擔任布魯塞爾Sainte-Gudule僧侶團會員的叔父辛克爾特（Jan Hinckaert），在叔父門下受教，準備成為聖職人員。1317 年，他二十四歲的時候，正式在那個教會承擔牧職。直到 1343 年，為了能過一種更完美的生活，雷斯博克和他的叔父，以及一位弟兄古登伯（Frank van Coudenberg），離開布魯塞爾到接近 Groenendael 的地方，企圖建立另一個模範的團體。很快的，有其他人加入他們當中，他們採用了聖奧古斯丁修會的會規，且團體的人數迅速增長。後來這個團體也被接納為一所修道院。雷斯博克極少離開這所修道院，生活不外乎默想和從事寫作。這個位於荷蘭 Deventer 的團體，吸引了許多專精於靈修神學的訪客，如道明修會的陶勒爾（John Tauler）、共同生活弟兄會的創始者古路特（Gerard Groot）。雷斯博克於 1381 年 12 月 2 日卒於 Groenendael。

雷斯博克是位多產作家。他的作品完全是用法蘭德斯語寫成，法蘭德斯語直到今天還是和中古世紀時一樣的被使用（近似於荷蘭語，語音上略有差異，目前約五百萬人使用）。雷斯博克的著作使他頗具威望，對時人與後人都造成了相當大的影響力。較有名的著作有：《屬靈婚姻的裝飾》（Adornment of the Spiritual）、《屬靈的婚禮》（The Spiritual Espousals）、《璀璨的石頭》（The Sparkling Stone）、《至高無上的真理》（The Book of Supreme

Truth）。在這些作品中，我們得以略窺雷斯博克對屬靈生命的洞察。

五種典型的病症

對雷斯博克而言，生命的極致恰似一場旅行。有些人已經進入了他的生命旅程，但有些人拒絕生命之主的召喚，將腳步轉到相反的方向。如同一位優秀的內科醫生一樣，雷斯博克檢視那些轉離腳步之人的病症，他診斷出五種典型的病人。

第一種是「近視短利型」，只為今生的需要、現世的利益而活，他們的心猶豫不定、時常見風轉舵，對於接受神的恩典常覺窒礙難行，因為缺乏專一的心。

較近視短利型次之一等的是「優柔寡斷型」。他們雖然活在罪惡之中，仍怯於接受神的救恩。又害怕接受神的審判，他們做許多的好事以彌補自己的罪行，也尊敬敬虔的人，尋求他們禱告的幫助。但只要他們尚未下定決心轉離罪惡，就仍然無法配得神的恩典。

第三等是「異教型」和「無信仰型」。無論他們如何認真的去過活，都無法達到聖潔、享受神同在的地步，因為他們缺乏信心。

第四等是「公然不信型」，他們以所有的屬靈生活為虛假的面具，寧願花費生命在物質利益的追求上。因不信

聖靈的引導，違反聖靈的事倒是極少發生。

離神最遠的是「假冒為善型」。他們做許多的好事，但不是為神的榮耀，而是為求個人屬靈的聲望，並在這聲望所帶來的榮耀感中自我陶醉。人們常誤認他們為好男人、好女人，事實上他們只是虛假的人，是高舉屬靈幌子的假冒為善之士。

靈性成長三階段

雷斯博克對成熟生命的分析一樣採用傳統分法，即屬靈成長三階段：洗淨罪惡、靈覺光照、與神合一。他略做修改，並重新命名為：忠誠的僕人、祕密的朋友、隱藏的神的兒女。

根據雷斯博克的說法，屬靈生命是從信仰歸正開始的。這種由犯罪的生命轉變為歸向神的生命是出現在：當一個人使用他的自由意志選擇了回轉向神的道路時，而且這種轉變是藉恩典促成的。這個生命的轉變導向了悔改。透過認罪、懺悔，良心得以潔淨，對自己產生厭惡嫌惡之感。藉著恩典、意志回轉歸向神，良心得潔淨、屬靈的眼睛被打開，如此，一個人得以真正成為神「忠誠的僕人」。這個轉變的結果是成為一個能事奉別人的人，成為有行善能力的生命。

雷斯博克稱呼這種「忠誠的僕人」為好人、熱誠的

人。他會小心翼翼的順服神、順服教會的教導，完成每一個任務，全然因為神如此的命令。然而，這位忠誠的僕人仍然沒有絲毫察覺到，他之所以如此事奉神是基於內裡的愛。他仍然是個「外面的人」，無法獲得「裡面的生命」，無法透過「裡面的人」去思索、去發現生命生活中的錯誤。在他看來，用「裡面的生命」去過活的人是懶惰而被動的人。雷斯博克認為，福音書中的馬大就是典型的「忠誠的僕人」，相形之下，耶穌說她選擇了上好福分的妹妹馬利亞，就是典型的「祕密的朋友」。

完美的生命是不斷進步的生命。是不斷前進、永不停止的生命。在第二階段中，這個著重外在事奉、擁有美德善行的生命，開始增加了內在修養的操練。這時候，對所有受造影像的想像都應被潔淨。因為影像是我們對這物質世界戀慕的象徵，在第二階段中，所有對物質世界的戀慕都應消失。如此我們的靈魂才得以為神做好準備。如果一個人想要從事任何屬靈的努力，他就必須卸下每一件對這現實世界的戀慕，使內裡的生命得以自由。那時，這個人就會得到「祕密的生命」、「內在的友誼」以作為報償。這是極有價值的成就。許多好的事物會臨到神的朋友，因為他們取悅於神。然而，他們仍然尚未完全勝過自我中心的挾制。儘管，他們已經覺得自己與神合一了，但仍然可以在神和自己之間感受到一些區別和差異。所謂真正的

「神的兒女」指的是,那些在愛的火焰中燃燒殆盡的人。

　　當人們開始了解何謂祕密的朋友時,他就進入了第三階段。在與神合一的第三階段中,自我被擁抱在愛裡、融化在與神合一的關係中。雷斯博克如此詮釋這個深奧的合一:

　　當所有的能力都辜負了我們,當所有敞開的沈思默禱都了無作用,在這三重聯合的愛的擁抱中,所有的都歸於祂,祂也成為我們所有。當我們經驗到這個聯合時,我們與神成為一個個體,一個生命,一個福祉。(Book iii,序言)

　　雷斯博克對與神合一的看法具有相當熱烈的肯定。當靈魂學會了這就是愛的時候,這愛會以挾帶著極大熱度的激烈風暴攪動靈魂,這愛在靈魂與上帝之間,彷彿天空中的閃電,灼熱而激烈。這整個愛的風暴並非超越理性的,它仍具有重要的意義:有時這個人會感受到他是與神合一的,有時他也會感受到他不是與神合一的。雷斯博克似乎承認與神之間有一種「內在的接觸」,會邀請我們融化在這合一之中,相應於此,我們唯有安然自在的、讓神的福祉做在我們身上。但與神之間仍然有一種「外溢的接觸」,這接觸放任我們自由自在探索,教導我們使用我們的自由。這外溢的接觸,開啓了靈魂的能力,讓我們感受

到神不可思議、不可測度的甘甜，以至於越品嚐、就越想
再要品嚐。

　　當一個人能認清楚他自己雖然略遜於「隱藏的神的兒
女」，但決不僅僅是一個「忠誠的僕人」，而是個上帝
「祕密的朋友」時，由雷斯博克的分析與說法看來，他就
是達到了與神合一的境界了。

　　雷斯博克小心翼翼的描繪出一幅人類生命的山水畫、
我們屬靈區域的地形圖。這樣的描繪具有教育果效，留給
我們餘地找到我們屬靈方位的所在，也指引我們邁向另一
個不同的靈程區域。雖然一個基督徒本來就應當在神的裡
面，但如同其他許多西方靈修學作者一樣，雷斯博克也主
張這些領域有其終極境界，其境界在於臻至「與神合
一」。

（楊英慈譯）

人在世界，心在基督

聖金碧士(St.Thomasá Kempis,1380~1471)

人在世界，心在基督

聖金碧士（1380～1471）

《效法基督》（*The Imitation of Christ*）這本書，可謂是名聞遐邇、遠近知名的一部靈修大作。其廣爲人所頌讀的程度，不僅在十五世紀衆多靈修書籍中執其牛耳，即使以整個基督教歷史來論，都是名列前茅的。因爲已有了中文譯本，所以這本書對中國讀者而言並不陌生，而且中文還有好幾種不同的譯本。這部熒熒大作是由一位僧侶——金碧士（Thomas á Kempis, 1380～1471）所著。

俗世中的靈修操練

金碧士生於德國的 Kempten，鄰近萊茵省的 Dusseldorf。於 1399 年，以極年輕的年紀進入荷蘭 Zwolle 附

近的聖艾格尼斯山修道院（Saint Agnes），並在此居住了
將近七十年之久。金碧士於 1413 年起開始承擔聖職，從事
聖經抄寫、個人著作、指導後進等工作。1425 年，他受任
爲修道院的副院長。除了《效法基督》一書，他還撰寫了
很多講章和靈修作品，並著有一些傳記作品，介紹賽德曼
的聖莉德凡（Saint Lydwine of Schiedman, 1380～1433），
及古路特（Gerard Groote, 1340～1384）等人。聖莉德凡是
一位終生多病，在苦難中經歷神的荷蘭少女，古路特則是
共同生活弟兄會（Brethren of Common life）的創始人。金
碧士以九十二歲高齡逝世，留下一部甫完成不久的聖艾格
尼斯山修道院的院史。

　　金碧士是「新靈修」運動（New Devotion）的一名大
將，這是中古世紀晚期盛行一時的宗教運動。這項靈修運
動，雖然是共同生活弟兄會的僧侶所發起，但很快就變成
一股平信徒的運動，投入這股風潮的團體如雨後春筍般興
起，不但在荷蘭吸引了成千上萬的基督徒，最後也傳入南
歐。鼓動這股風潮的背後一個基本觀念就是：入世的生
活，本身就可以成爲一種靈修操練，而不是如早先一些人
所認爲的，入世的生活必然拒人於屬靈的堂奧之外，讓人
無法成爲眞實敬虔的基督徒。

　　投入新靈修的人不會發願脫離俗世，同時這股運動也
拒絕過去教會的「全職」模式，不同意人只有在修院、修

會的環境中，才能全神貫注、毫不間斷的過著超凡絕俗的信仰生活。新靈修運動嘗試爲這些工作於世界、用情於世界、生活於世界的凡夫俗子，描繪出一種不同的「全天候」的基督徒模式。凡夫俗子的生活也能夠成爲一種屬靈的操練，這種嶄新的觀念背後蘊藏了何等大的潛能，從「新靈修」運動發展蔓延之快速即可見一般，「新靈修」運動所主張的屬靈操練，主要是藉著默想基督的生命與祂爲我們受難的大愛，而培養個人內在的生命，且相信透過這種操練，即使在世間各樣沈重繁瑣的生活壓力中，人們仍然可以達到「學像基督」的境界。

重新認識真我光景

《效法基督》一書類似基督徒的「自學手冊」，所關切的問題是實踐與生活，而不是神學與教義。就金碧士看來，學像基督就是要去默想耶穌的生活。對他而言，默想的定義，就是讓自己整個人遵照基督生活的模式而生活，而不是指一種精神的冥想活動。基督就是人的典範，自覺自知、謙卑順服的楷模。

你若想除去罪行，培養美德，就當一心愛慕基督生活的典範與對生命的熱情，天父差遣基督來到人間，正是為這眾德之德所設立的一個典範。（v. 3）

金碧士認爲，基督徒必須認識自己，這是靈命進步的一項先決條件。人若想更新自己與上帝、與他人的關係，必須先更新自己與自己的關係。因此，人必須有技巧的重建自我，這對靈命的成長是不可或缺的。金碧士所謂的「自我」，並不是相對於大群體而言的小個體，也不是大我中的小我。他看重的是能與神交談的「眞我」，這裡我是當人不斷傾聽神的聲音，也向祂傾吐心聲的過程中逐漸形成的。

唯有基督這人性完美的典範，能使人領悟到自己是個罪人。罪人的光景就是：因著自己的敗壞、軟弱、無能抵擋肉體的試探誘惑，而與人生而爲人眞正的目地漸行漸遠──就是要謙卑、愛神、服事神。耶穌的榜樣令人自慚形穢，同時這種自知自覺又會激勵人效法基督，矢志遵照基督的樣式去生活。而基督在他一生中所展現的種種美德，其中首要的，就是他爲人樹立了謙卑的模範，那種在神面前的自卑包含了自我苦修、自我棄絕，以及輕看世界。金碧士使用了一些很強烈的字眼，形容那種捨棄自我的生命態度，像是「撇棄自我」、「裸裎一身」。效法基督意味著不再鍾愛任何外在事物、脫去萬事萬物的纏累，抵擋一切肉體的情慾。

為此全力以赴，懇切禱告，一心想望，只求剝淨一切的私心
我慾，孑然一身的追隨一身赤裎的耶穌、治死老我而獲得永
生。（Ⅲ.37）

撇棄世間的知識學問

當人達到這種極端謙卑、自抑的境界，心中一無所
慾，只求敬愛上帝、順服上帝，自然也摒棄任何追求學問
的慾望，因爲世間的小學只會引人遠離眞理。

滿腹經綸可以高談闊論三位一體的真神，卻缺乏謙卑，惹怒
三位一體的真神，又有什麼益處呢？使人聖潔公義的，誠然
不是學問；神看爲可喜的，乃是人有美善的生命、充滿德
行。寧可深自悔悟，勝過懂得如何定義悔改的意思。若能對
整本聖經瞭若指掌，對每位哲學家的學說都如數家珍，生活
中卻沒有神的恩典與大愛，這對我們又有何益處呢？虛空的
虛空，唯有擁有神，專一事奉祂，除此之外，凡事都是虛
空。（Ⅰ.1）

在此，知識學問慘遭貶抑。就金碧士看來，任何拘泥
虛禮的神學及哲學學說，都是一文不值的，如殘羹剩餚，

對靈命無所增益。唯有從神而來眞知實悟，亦步亦趨的師法、依順基督，遵循福音眞理，而後才可得眞理的學問。這眞理能啓迪人的悟性、激勵心志，而且賜下安慰。人若渴想基督的話語，以之爲樂，就必須盡心竭力，全人效法基督。

　　眞知實悟的源頭乃是基督。只有他能夠提昇靈魂，領它超越自我，直接與神相融相會。因此用心仿效基督、刻意自卑，最高的境界就是讓自己的意志全然歸順神的旨意。

　　《效法基督》一書，可談之處尙有許多，不過總括來看，金碧士最大的貢獻，就在於他幫助我們了解，基督徒的生命應該像是基督的一種「翻版」，因爲我們是照著神的形像所造的。如果我們是按著祂的形像所造，那麼我們的生命就應該眞實表現出祂的形像，是完全像祂一樣的翻版，這應該是每位基督徒的渴望，而不僅侷限於那些蒙召全職事奉的傳道人。

（何明珠、楊英慈合譯）

130

充溢母性光輝的神聖之愛

朱麗安(Julian of Norwich, 1342~1416)

13 充溢著母性光輝的神聖之愛

朱麗安（1342～1416）

我們生活在一個不缺乏資訊的時代，更準確的說，是個資訊氾濫的時代。承科技日新月異之進展所賜，我們也能迅捷地取得這些資訊。諷刺的是，在如此供過於求的資訊時代中，我們仍舊對聰明與睿智有著難以扼抑的渴求。因為滿屋子的資訊知識也無法取代聰明與睿智的可貴。奇妙的是，一個近乎沒沒無聞的十四世紀英國女人，竟然能滿足我們的需要，幫助我們整飭出一條尋得聰明與睿智的道路，她就是諾威治的朱麗安（Julian of Norwich）。

得神「天啟」的朱麗安

除了她自己在著作中所披露的點點滴滴，以及蒙召過

隱居的生活，終生致力於祈禱、默想之外，我們對朱麗安的生平知道得很少（約生於 1342 年，卒於 1416 年之後），我們甚至於不知道她真正的名字。也許，她之所以會從教會歷史人物中，挑選了這個名字，正是因為她深深的被聖朱麗安所吸引。根據她自己的描述，在 1373 年 5 月 13 日，約莫三十歲時的一個夜晚，朱麗安在一場重病之中得到了十六個戲劇性的啟示，這些啟示向她一一揭示了神的愛，她稱之為「天啟」。旋即將它記錄為一個短短的小冊。二十年後，她又將這十六則啟示擴充為較詳盡的版本。其實，終其一生之久，她的祈禱、默想、屬靈教導，都是建基於這次啟示所得的異象。流傳至今的著作稱之為《啟示之書》（*Book of Showings*）或《神聖之愛的啟示》（*Revelations of Divine Love*）。

我們還知道，在 1394 年時，她已經是個女修道者，可能就隱居在諾威治的聖朱麗安教堂。作為一個修道者，她需要遠離世俗，以便能全心投入安靜、祈禱、默想。她甚至能在教堂的牆垣之中，透過帷幕，看到祭壇、領受聖餐。雖是遠離世俗，仍有許多人都見證了朱麗安對社會的關懷未曾稍緩。同時期的英國神祕主義者肯蓓（Margery Kempe，生於 1373 年，卒於 1438 年之後），曾被派去拜訪朱麗安，向她討教靈修神學的問題，據聞，她曾與朱麗安一起享受了「神聖的嬉戲」。

朱麗安活了很長的年日，但確定的死期卻無從知道。在 1416 年，有位諾威治的居民立了一則遺囑，以朱麗安爲他的遺產繼承人，因此我們可以推論，至少在 1416 年時她還活著，當其時，朱麗安應該已經七十四歲了。沒有人能清楚敘述她的生平細節，但這並無傷於她的作品所發射出的獨特魅力與價值。

我們的母親——耶穌

由她所著的《啓示之書》中，我們可以循之了解她的靈修觀，以及其中所洋溢出的神學洞察。以下將論及她靈修觀中的一些重要主題。當朱麗安提到三一神論的聖父、聖子、聖靈時，她將神比之爲：製造者、維護者、愛護者。這是她有關三一神論說明：

以至於我了解到：神喜悅於祂是我們的父親，神喜悅於祂是我們的母親，神喜悅於祂是我們真正的佳偶，並且我們的靈魂是祂鍾愛的妻子。（摘自朱麗安所著《啟示之書》，Edmund Colledge and James Walsh 合譯，New York：Paulist Press，1978 年，52 章，第 279 頁）

這裡她所提及的神是母性化及女性化意象的神。朱麗安就是以發揮神母性的主題聞名於今，然而這一主題並非

源自於朱麗安。早在舊約時期，如以賽亞書六十六章 13
節：「母親怎樣安慰兒子，我就照樣安慰你們。」在新約
的馬太福音二十三章 37 節：「耶路撒冷啊，耶路撒冷啊，
你常殺害先知，又用石頭打死那奉差遣到你這裡來的人，
我多次願意聚集你的兒女，好像母雞把小雞聚集在翅膀底
下……。」這樣的主題也曾散見於早期教父的著作中。以
亞歷山太的革利免（Clement of Alexandria，約主後
150～215 年，是雅典的基督徒哲學家）為例，他就曾寫到
「神愛的乳房」。就是在這些先賢先驅的導引之下，朱麗
安才得以把神母性的主題加以更深刻的發揮。她運用了
父—母的象徵意義，來詮釋三位一體神之間的相互關係。
在朱麗安對三位一體眞神的理解中，父親的角色意味著能
力與仁慈，而母親的角色則意味著智慧與關愛。她提出神
的母性以作為神父性的補充。

　　朱麗安甚至把母性的主題應用到耶穌基督身上。以下
是祂所描述的耶穌與我們的關係：

　　但是，我們真正的母親——耶穌，盡其所能的祝福我們，不
　　僅給予我們喜樂，也給予我們永遠的生命。故此，祂以愛褓
　　抱我們在祂的懷中……。一般的母親無非是以自己的奶汁餵
　　養孩子為上好的，然而，我們寶貴的母親耶穌卻能以祂自己
　　餵養我們，祂也確實這麼做了，極其謙和、極其溫柔地，籍

著蒙福的聖禮,啊,這是我們真實生命的寶貴珍饈。(同上,《啟示之書》,60章,第298頁)

神永無止盡的愛

朱麗安靈修觀的另一個顯著的主題是:神對所有創造物無止無盡的愛。在人眼中,我們對物質很習慣的會產生好惡感、很容易將之尊卑等級化,但在神眼中,所有創造物都具有無與倫比的價值。

在這之中,神向我展示了很小的東西,一個不比榛果大的東西,就躺在我的手掌心,在我的眼中看來,它不過其圓如球的小東西。繼續用悟性與思想的眼光來看這到底是什麼?在這個小東西中,我看出三個特質。第一個是神創造了這東西,第二個是神珍惜寶愛這東西,第三個是神維護保養這東西。然而,我到底在其中領悟了什麼?神是創造者、保護者,神是珍愛者。(《啟示之書》,5章,第183頁)

在朱麗安的靈修觀中,每一個人類的存在都有著無比深長的意義。的確,創造本身就存在著終極意義。

《啓示之書》是一本關乎聖經,充滿了聖經化靈修觀的書籍。因爲,約翰與保羅的著作十分普遍的散見於朱麗

安所記錄的啓示之中，因此我們可以說，她的靈修是有根有基的建立在聖經上的。關於朱麗安「神的愛」的教導，我們可從約翰作品中的三段經文中（約翰福音三章 16～17 節，十二章 31～32 節，約翰一書四章 16～17 節）管窺其精髓。在這些篇章中，我們得以明白朱麗安對基督之愛的異象，她所認識的基督，正是使所有受造物得以更新的主。而現在基督的愛正流溢在普世之中。

在朱麗安所描繪的異象中，基督受苦受難的捨身之愛瀰漫在她所了解的救贖宏恩之中。保羅曾確定心志地說：「不知道別的，只知道耶穌基督並祂釘十字架。」（林前二 2）並且也以這樣的觀點來看待整體信仰的奧祕，即基督的創造、救贖之功，以及末世時萬事萬物都要改變的奧祕。朱麗安也是如此。

生活在資訊的時代，我們彷如飄浮在知識的海洋，隨時要謹防被知識的海水所吞沒。朱麗安的教導給予我們分辨的智慧，提醒我們在洶湧浪濤中分辨朽木與木筏的智慧。朱麗安向我們展示了神應當如何被愛、我們當如何享受祂所創造的一切，且享受創造之功中的個人生命。因為：

神以祂的愛覆蓋我們、懷抱我們、狂擁我們，如此溫柔的愛完全的將我們圍繞，永遠不會離開我們。（《啟示之書》，

5章，第183頁）

（楊英慈譯）

那朵無以名之的雲

屬靈操練（The Cloud of Unknowing, 十四世紀）

那朵無以名之的雲

屬靈操練（十四世紀）

即使是仲夏晴朗的白日中，你都可以想像彷彿這黑暗或雲朵就在你的眼前。同樣的，即便在寒冬最深的黑夜裡，你也可以想像出一片閃亮清晰的白光。

今日教會是個重視認知的群體。無論是主日講道、週間的查經，或是倡之有年的成人主日學，都是建立在一個假設的前提下，我們假設：我們絕大部分的信仰都是建立在認識聖經真理之上，並且，合乎聖經的真理應當被忠實的教導。我們普遍的確信：持續有恆地讀經、深入查考聖經，是確保每個基督徒「長大成熟」的最高指導原則。甚至，許多人認定基督徒能力的泉源大

多源自於他對聖經知識的累積。

　　擁有大量聖經和神學知識的人，以及能在適當時候回憶起故事細節的人，通常較能在教會中贏得屬靈的敬意和欽羨的眼光。許多基督徒喜歡簇擁著聖經專家，羨慕地圍繞著他們，不僅是為了更多掘取專家所擁有的聖經知識，同時也企望自己有朝一日能達到這些專家的境界。對知識如此的看重，使得教會無形中成了另一個教育中心，和我們社會所熟悉的教育系統所差無幾。甚至，許多時候，一些教會領袖帶領教會的方式，簡直就像在經營一所學校。

　　整體教會都頗為看重認知的重要性，而嚴格說來，無論就教會或就個人而言，我們都很少權衡如此看重認知對我們有何得失。若要認真估算我們在認知上所獲得的投資報酬率，就不可忽略「過度強調」所帶來的負面教導，那就是：胖了右手，卻瘦了左手，影響了整體的屬靈操練。

不知之雲

　　《不知之雲》（The Cloud of Unknowing）向來被認為是十四世紀時英國屬靈書籍中擲地有聲的作品，作者為匿名者，大家對其確實的身分有許多的揣測，但一般認為是擔任聖職的神父，應某位尋求屬靈生活方向的信徒之要求而寫。

　　該書的命名即點出了作者所強調的主旋律，全書旨在

描述「一種莫以名之的雲……，無論你如何努力，總有一片雲橫亙於你和神之間，妨礙你，使你不能在理性的理解之光中清楚地了解祂，使你傾盡所有的愛，仍然不能和祂同歷甜蜜之愛。」（第三章）這朵雲驅之不去，但這個惱人的事實並不妨礙我們對屬靈生命的追求，我們仍然可以與神達到愛的聯合。與神親密相交的途徑不可確知，但卻需經由這條幽暗玄祕的不知之徑；「對神最虔敬的認知之路，就是藉著這條不知之徑。」（第七十章）所以作者挑戰我們：遠離思想的世界，遠離想像的世界、遠離感官的世界，遠離所有透過感官長期的嫻熟，所達至的精神與物質交際融匯之境，單單使自己成爲蒙昧、成爲無所知。就是這「盲目」的景況，卻能使我們企及於神。如此看來，我們得以發現神，並不是透過累積關於神的知識訊息，因爲過於看重知識反而攔阻我們認識神。

愛的激勵堅固意志

那麼我們要如何穿越、透過這朵不知之雲，而達到與神親近的地步呢？作者教導我們，要透過意志，而這意志則藉著愛而得著激勵堅固。作者稱這些意志所產生的行動爲「赤裸坦誠的意向」、「刹時的鼓舞」、「熱望的利鏢」。在現實中，這些意志的行爲是靈魂在禱告中完成的，是靈魂在禱告中嘔心瀝血，持續不斷努力的結果。透

過如此的禱告，方得以勝過這朵不知之雲的攔阻。作者描
述道：

擎舉滿懷謙抑之愛，向神揚起你的心，不看祂的諸般恩惠，
單單以神為你的目標。小心翼翼，避免想起其他任何事物，
單單思想神自己。除了神自己，不要容讓任何其他東西影響
你的理性或意志。盡你所能忘卻神曾經創造的所有受造物，
忘卻所有受造物的活動，以至於，或思想、或不思想，腦中
的意念或心中的企望都不會被它們牽絆吸引。（第三章）

作者如此定義這朵「不知之雲」：

當我稱這個屬靈操練為黑暗或雲朵時，千萬不要認為這就是
在外面空氣中漂流不定的雲霧，或是像深夜靜坐屋內而蠟燭
用盡時，籠罩身邊的黑暗。如此的黑暗或雲朵你可以藉著敏
感的心思清楚想像而得，即使是仲夏晴朗的白日中，你都可
以想像彷彿這黑暗或雲朵就在你的眼前。同樣的，即便在寒
冬最深的黑夜裡，你也可以想像出一片閃亮清晰的白光。把
這些虛幻的假象拋諸腦後，這些都不是我的意思。當我說
「黑暗」時，意思是知識上的一片空白，彷彿你一無所知，
甚至忘了何謂黑暗，你屬靈的眼睛並沒有看見什麼。因此我
說，橫阻於你和神之間的「並非空中之雲」，而是「不知之

雲」。（第四章）

顯而易見地，作者主張我們必須使自己脫綁，使自己從所有被造物、從對宇宙事物的愛恨顛痴中完全釋放出來。我們必須盡可能地努力，摒棄所有的雜念和煩擾，約制這些事物對我們的影響。對每一個想要與神親密相交、聯合的人而言，這樣的努力雖是極端的困難，卻也十分的必要。唯有透過恩典和奇蹟式的愛，我們才能完全經驗到與神親密相交的完美境界。「沒有人能透過自己的知識完全了解神，因為神並非受造之物。但是，單單藉著愛，我們每個人就可以用不同的方式抓住神。」（第七十章）當我們直接和神面對面處理問題時，理性的思維的確可以肩挑大樑、勝任愉快。然而，我們的神是超然卓越於宇宙萬有之上的，因此如果我們想要透過有限的頭腦去了解神，就會覺得窒礙難行、「難於上青天」。因為，超然的神隱身於那朵莫以名之的黑暗之雲背後，唯有透過意志，夾帶著亦誠有勁的愛，方可嘗試穿透。

穿過那朵無以名之的雲

對「不知之雲」所提出的忠告與教導，我們要加以正視。因為我們的教會對認知和知識是如此的強調，一個聚會接一個聚會、一星期接著一星期地實踐「認識真理」的

信仰，這的確使信徒更深認識神，但不一定使信徒更親近神。我們必須了解，一個擁有豐富聖經知識的人和一個對神只有丁點認識的人比起來，並不一定更屬靈或更像耶穌。真正的屬靈並不在於知識的累積或認知的能力。單以法利賽人為例，他們熟讀舊約、知道預言中有關彌賽亞的預言，但是，當真正的彌賽亞來到時，他們卻毫無所覺、也不接受祂。他們對聖經的知識成了他們認識耶穌基督的絆腳石。

讓我們對法利賽人引以為誠，不要被自身所擁有的知識蒙蔽，以為我們屬靈生命的成長、我們與神的關係，都靠這些知識而已。寧願知識成為我們羽翼，而我們都只是被那朵雲所暫時遮蔽，只待我們集中生命的火力，瞄準主耶穌為我們投擲熱情的目標，專注發射得以射中標的的渴慕利鏢，我們就可以穿過「那朵無以名之的雲」，得以與我們的生命之主深相密契了。

（楊英慈譯）

愛在燈火闌珊處

凱瑟琳(Catherine of Genoa,1475~1510)

15 愛在燈火闌珊處

凱瑟琳（1475～1510）

愛是靈魂的起源、是中途站，也是靈魂的歸宿。你不能沒有愛而活著，因為無論在這世界或其他任何地方，愛都是你的生命。（Spiritual Dialogue Ⅲ, 3 in：*The Spiritual Doctrine of Saint Catherine of Genoa*, 261.）

這是熱那亞的凱瑟琳（Catherine of Genoa）對於上帝和靈魂關係的講論，也可以視為她靈修教導的主要架構。愛，向來是凱瑟琳思想的主旋律。因為她就是在探索自己的靈魂之旅時，有了如此的經驗，所以凱瑟琳了解靈魂邁向上帝的旅程，就是自我之愛成為純全之愛的蛻變過程。

　　凱瑟琳是義大利的貴族之女。十六歲時，她非出於自願的結了婚，嫁給一位不信主且生性兇暴的丈夫亞多諾（Giuliano Adorno，後來也因著凱瑟琳歸信了）。在十年不美滿的婚姻之後，她經歷了一些深邃的信仰歷程，這些經歷引導她進入一所醫院服事熱那亞的貧窮人，一直到凱瑟琳度完她的餘生。後來她的丈夫因著一些經歷也成為方濟修會的一員。在生命即將終結之前，凱瑟琳曾面臨到極大的試驗和患難，其中有些原因可能起源於她個人的心理。凱瑟琳沒有寫下任何著述。目前我們所有關於她的記載，多為她的屬靈導師馬拉波投（Cattaneo Marabotto），和她屬靈的兒子——奧拉多里（Oratory）教區神聖之愛大教堂的創建者——弗那查（Ettore Vernazza）所記錄下來的雜記。計有：《熱那亞聖凱瑟琳的生活與教導》、《靈修對談錄》、《滌罪論》（The Life and Doctrine of Saint Catherine of Genoa, The Spiritual Dialogue, The Treatise on Purgatory）等。1510 年 9 月，凱瑟琳因罹患多項病症而香消玉殞。

靈魂的孕育——愛是靈魂的起源

　　凱瑟琳靈修思想主要關懷的是：靈魂在徹底淨化的過程中是如何改變的，回轉歸正是如何發生的？為了解靈魂淨化的來龍去脈，凱瑟琳引導我們回到創造的最起初：

在上帝創造人類以前，愛是純全、樸實的，絲毫不受任何「自我心」的玷污，也不需要任何約束管制。在創造時，神獨獨被自己純全無瑕的愛所感動，除此之外別無其他原因可以使祂動容。在愛中，上帝完成了對人類的創造，別無其他動機、別無所愛。（《靈修對談錄》，第二十一卷，生活篇，第 78 則）

由此可以了解：我們被造的動機、理由僅僅就是爲了愛，全然單純的愛。亦即，我們被造時是絲毫沒有「自我心」的玷污的。這愛就是神自己。神是我們眞正的起源，我們與生俱來的愛。原來，我們本性的「基本配方」是由神調配的，是神特殊的水泥灌漿賦予了我們天賦異秉。這天賦的異秉無止無息地展現出它被造時的特性，因此，迷途的靈魂除非回歸到神的愛，否則沒有辦法得到滿足。

其實，我們環顧周遭的人，無論是滿足的人、不滿足的人，可以肯定地說：人類終其一生、唯一所求，就是愛，眞實、純全的愛。由此看來，靈魂之旅的目標果眞早已在靈魂孕育的時候就命定好了。我們因愛而成形、在愛中成長，心要回歸愛的懷抱。對凱瑟琳而言，人類心靈眞正的母體是純全的愛，因爲我們就是在神純全無瑕的愛中搏泥受造、呼氣成形的。

當混沌初開的靈魂開始探詢它眞正的終結時，也即是靈魂之旅的啓錨之時。他承認在旅程中，身體將是它的伴侶，也意識到在旅途之中，身體和靈魂之間會有爭執，故此期待能有第三者在他們中間扮演仲裁者的角色，幫助他們解決所遇到的每一項問題。這個居於靈魂和身體之間的仲裁者，就是「自我之愛」。曾幾何時，這自我之愛轉變了，轉變爲靈魂最主要的敵人。

就像一些虛晃的政客般，「自我」之愛打著仲裁者的旗幟，卻是一手遮天地要完成自己的目的。靈魂竟渾然不覺地被蒙在鼓裡，任憑身體和自我之愛同流合污。不斷遭受自我之愛以瞞天過海、吃裡扒外的伎倆啃蝕的結果，靈魂對屬神的事物漸漸失去原有活潑的本能反應。其中最主要的蒙混伎倆是：以自我的籌算取代了對神旨意的看重。這伎倆積習旣久成癖，使靈魂被蒙蔽竟到一個程度，自然而然的逃躲掉他眞正應該有的反應。他無法停止地追逐自己的目標，完全無視於其他價值的存在，完全不在乎如此滿足自我所帶來的自我毀滅和破壞。由此看來，以自我的籌算取代對神旨意的看重，所帶來的最大傷害就在我們自己的身上了。而唯一能救拔我們脫離這個傷害的，也只有我們自己，只有我們自己決定要終止對這伎倆的運用，才能步上我們的救贖之路。

靈魂的重塑──愛是靈魂的中途站

靈魂唯有在步上窮途末路時，才會回轉歸向神。他要真正經驗：耗盡心神尋求自我的快樂卻徒勞無功、實際走過死蔭的幽谷，在痛徹心扉地意識到自己軟弱無能的時候，靈魂才會回轉歸向神。對凱瑟琳而言，我們會在生命的關卡中面臨這種致命的軟弱無力，是神所允許的。可以說，靈魂是被神的恩典逼到走投無路，無處可逃，唯有投入神奇妙大能的膀臂。

回轉歸向神，同時意味著轉臉不顧自己的好惡。它不僅是信仰的轉變，也引起一連串的內在革命──對每一件事都徹底地加以重整，原先存在於靈魂、身體和自我之愛中間的伙伴關係必須予以放棄，重新建立一套相互之間的運作系統。所謂靈魂的重塑，對凱瑟琳而言，不是企求靈魂能脫離身體的伙伴關係，而孤芳自賞地清心禱告、追求屬靈的事，相反地，凱瑟琳所謂靈魂的重塑，是指靈魂與身體一起的重塑，「將咱兩個一起打破，再將你我重新調和，重新和泥、重新再作」，為要使身體與靈魂達到完美的結合。

熱那亞的凱瑟琳使用「火」的意象，描述神對靈魂的淨化。她邀請我們來細細思想：黃金的礦石是如何被淨化為 24K 的純金呢？由上帝而來的試煉之火，其目的並非為

了審判，而是爲了愛我們、淨化我們的靈魂。當靈魂經過火般的試煉，就會像黃金礦石一樣越來越純淨，所有的渣滓鍛鍊盡淨。由神而來的火會鍛鍊我們的靈魂，除去自我之愛所引起的敗跡劣行。

靈魂的蛻變——愛是靈魂的歸宿

在靈魂之旅的最後階段，眼見純淨完全的愛就要成爲靈魂的主要依歸時，各樣的誘惑卻又張牙舞爪著，要攔阻靈魂步向他最終的目標。包括對自我的重塑也可能成爲一種誘惑。凱瑟琳敏銳地意識到：我們怎麼可以如此輕易地就陷神於不義，使神折腰爲我們而效勞。她也意識到，我們的確是認眞地在追求完美，而這完美竟是被我們所要棄絕的自我所激發的。就像這樣，凱瑟琳總能機警地敏感到一些特別的屬靈現象。她害怕這種對神的愛的證明會導致一種結果，就是不單單憑著信心與神同行。對凱瑟琳而言，純淨的愛應是「赤誠坦白的」。絕對沒有任何事可以橫亙在神和我們中間。在她心目中，屬靈之旅的目標是在神裡面找到我們最眞實、最深沈的自我，當虛假的自我乍然離去時，靈魂就得以歡然慶賀眞實的自我終於能與神合一了。

自我之愛到純全之愛

藉著熱那亞的凱瑟琳，我們得以一探屬靈之旅的堂奧，且發現原來在這旅程的每個階段中，愛都是它的基本元素。愛是我們靈魂孕育的起始點，愛是我們的中途站，也是我們的歸宿。

純淨的愛並不在於那現實中被擁有、被獨佔的事，沒有任何事可以使得純淨的愛感到不悅，之所以如此，因為純淨的愛是除了真理以外，別無所重，也無法別有所重。就本質而言，純淨的愛是可以博愛眾生的，純淨的愛是不被任何事物所獨佔的。（《熱那亞聖凱瑟琳的生活與教導》，第二十三卷，第5篇）

由此，我們發現一則凱瑟琳極重要的洞察：她認為我們屬靈生命真正的敵人竟是我們的存心。當我們認為聖潔、完美，甚至神自己是可以被擁有時，就是有了敵人。純淨的愛唯一肯定的態度是放棄自我與降服老我。達到純淨的愛別無他途，只有不壟斷佔據、不斷地自我琢磨、不斷地倒空自己。然而如此操練的結果，竟是別開蹊徑的局面，不是我們擁有了純淨的愛，而是被純淨的愛所擁有。凱瑟琳有一則極有說服力的意象提到，要「交出我們房間

的鑰匙」：

當愛開始執行他對每一件事的照料管理權時，他就永不再放棄這件事。「而我呢？我要做什麼？」聖凱瑟琳說：「盡完全的力量，把房間的鑰匙交給愛，這是所有我必須做的事。」（《熱那亞聖凱瑟琳的生活與教導》，第三十一卷，第105篇）

對這些習慣於控制管理自己的生活，甚至善於訂定自己的屬靈成長計畫的人而言，我們將對凱瑟琳的教導將大為震驚。那鑰匙象徵著我們生命管理的權柄，交出我們房間的鑰匙意味著，要完全交出我們生命的照管權。因此，我們可以說，悔改歸正應該包含管理權柄的轉變，包含交出管理的權利。因此，凱瑟琳呼籲我們，要將我們生命的權柄交給愛，由神而來的、純全的愛。這意味著，要將我們的好惡、意願置之一旁，並且眼看著一些我們心愛的傢俱、裝飾要撤離我們生命的門檻。當純全的愛成了我們的「新房東」時，我們最好就做好要有一些徹底改變的準備，我們的「心房」要重新粉刷、重新裝潢。

其實，對我們的心而言，交出房間的鑰匙並不是一個太不可想像的轉變，而是一種應該的轉變，這應該是一種本能的直覺，使生命的管理權「物歸原主」。

我們的心終將明白，尋尋覓覓要尋找眞實的自我是徒勞無功的，除非我們回轉向神，不被自我之愛所佔有，反而回到被造時的本像，被純全之愛所擁有。這就是：衆裡尋他千百度，驀然回首，眞愛卻在燈火闌珊來時路。

（楊英慈譯）

假如，上帝有兩張臉

馬丁路德(Martin Luther,1483~1546)

16 假如，上帝有兩張臉

馬丁路德（ 1483～1546 ）

假如上帝有兩張臉，

一張寫在創世記裡，是榮耀、全能、燦爛的臉；

一張寫在十字架上，是軟弱、悲苦、含淚的臉。

對每一位基督徒而言，追求屬神的知識應是我們生活生命的中心。但是，如何追求呢？平凡的人如何能認識崇高的神呢？神到底透過什麼方式讓人得以認識祂？

有些人認為是透過神蹟奇事。在神蹟奇事中，神超越自然地展現祂的能力，使人看見得以信服祂。有些人認為是透過聖經。聖經是大多數基督徒屬神知識的重要來源，

因為聖經記載了神在這個世界的許多作為，只要研讀聖經，保證你像找到一張得以認識神的信用金卡一樣，可以刷得許多屬神的知識。因此，讀經便在基督徒生活中佔了舉足輕重的地位。然而，也有一些人認為，基督徒應是在每天清晨的靈修、禱告中認識神的。當我們敬虔地閱讀聖經時，似乎，神就會以一種非常直接、非常個人化的方式來啟示祂自己，讓每一個靈修者得以在適合他自己的方式下認識神。只要我們願意花時間在神面前靈修祈禱，神就讓我們得以認識祂。

的確，這些都是認識神的方式。然而，德國偉大的宗教改革家馬丁路德卻不以為然。路德提出「十字架的靈命觀」，他認為要透過十字架，才是徹底認識神的方式，神是透過十字架，使祂的本性、作為得以被認識。

十字架的靈命觀

讓我們把這個眼光獨到的靈命觀放回到它的歷史舞臺。那是在 1518 年 4 月，奧古斯丁修會在海德堡舉行傳統的公開辯論會，路德受邀擔任主席。他不僅屬於該修會，且有許多的擁護者。就是在海德堡辯論會的過程中，路德提出這個十字架的靈命觀，一般稱之為「十架神學」，以平衡當時經院學派所高舉的「榮耀神學」，他聲稱：

凡以臆測之事當作看見神的創造之工者，不配稱為神學家；
唯有看見神可見的「背」，就是在受苦與十架中認識神的，
才配稱為神學家。（馬丁路德，《海德堡辯護書》路德事工，
31，Harold Griman 編輯，Phildelphia：Fortress Press, 1957）

榮耀神學和十架神學代表兩種認識神的途徑，路德指
出其差異：「榮耀神學」幫助我們在創造之工中，看見神
的能力、智慧，的確幫助我們認識神，卻不能幫助我們認
識救恩。在榮耀神學中，我們所看見的是神榮耀、全能、
燦爛、得勝的臉，卻把耶穌基督摒諸屬神知識的外圍，而
「十架神學」則是清楚表明，神是藉著十字架，並十字架
上的基督表明出來。對路德而言，十字架是基督徒生命的
中心。因著受苦的基督成為我們魂牽夢繫的心像，我們的
知識、我們的思想才得以被陶塑。我們藉著受苦的基督才
得以認識神。

靈命不能端賴理性

然而，十字架上的基督又是如何引導人認識神的呢？
在回答問題之前，我們要先了解，路德對於理性推理在基
督徒生命中所扮演的角色有很清楚的限制。他認為基督徒
的靈命不能端賴理性，因為經上說：「若不藉著我，沒有
人能到父那裡去。」（約十四 6）人只能藉著基督，才得

以認識神，不能憑著理性，罪人的理性只會自我稱義，不能按神的標準稱義。

出埃及記三十三章21～23節這段特殊的經文是問題解答的背景。經文中提到摩西也沒有見到神的面，他僅在磐石穴的遮掩下瞥見神的餘光，僅在神經過時看見神的「背」，卻沒有看見神的「面」。摩西被允許看見神，卻是間接的看見，因為上帝是一位「隱藏的神」，祂雖樂意將自己啟示給人認識，祂卻是隱藏的、不得直接看見的神。人只能看見神的「背」，而「基督被釘十字架」就是「神的背」的一種表達方式。

就像神間接啟示自己給摩西看一樣，十字架也是個間接的啟示、隱藏的啟示，卻又是真實的啟示。人的理性會說：不可能的！神怎麼會用那種方式讓人認識祂呢？人的理性會期待神在大能、榮耀中啟示出祂自己。十字架卻告訴我們：神選擇在十架的羞辱、軟弱中啟示祂自己。這使我們的理性面臨極大的問題。因為路德這樣說：

不認識基督的就不認識隱藏在受苦中的神。這是顯而易見的。因此，他（她）會喜愛成就勝過受苦，喜愛榮耀勝過十架，喜愛能力勝過軟弱，喜愛智慧勝過愚拙……，這些就是保羅所說，是「十字架的仇敵」，因為他們恨惡十字架，喜愛成就，以及成就所帶來的榮耀。（《海德堡辯護書》，

第 52 則）

因此，「十字架靈命觀」的中心焦點，是迥異於「人類天性傾向」的；這世界的價值觀所看重的，十字架是反倒輕看的；世界所貶抑的，例如：軟弱、愚拙、卑下，反而是十字架所重視的。十字架上軟弱、悲苦、無能的容貌，正是神特別選擇的標記，用以彰顯祂的作爲，使我們得以認識祂。

面對十字架的真義

那麼，馬丁路德十字架的靈命觀對今日信徒有何啓示呢？

其一，雖然理性在我們生命中經常扮演著重要的角色，而路德十字架的靈命觀卻明顯地挑戰了我們的理性。提醒我們應該更注意神自己所展示的神，而不是我們自己在想像中所構築的自己以爲的神。也就是說，就獲得救恩這件事來看，十字架在基督徒生命中所扮演的角色，應該重於神其他的作爲。神在十字架上以謙遜的方式啓示祂自己，也呼召我們以謙遜的方式回應祂。由路德的提醒來看，眞正屬靈的生命不是緊抱一些屬靈教條，以爲是信心的護胸金牌；眞正屬靈的生命應是願意放下自以爲是的理性與信心，眞正委身於神十字架的呼召。

其二，我們向來標榜個人經驗是他人無法抹煞的事實，而路德十字架的靈命觀正也挑戰了我們個人的信仰經驗。我們的經驗固然都是自己披肝瀝膽的生命血淚史，但那並非體驗真理的必然途徑。因為，我們對神的經驗需要重新加以詮釋。與其倚靠一些被人類經驗誤導的信仰印象，不如好好抓住神的應許。神應許要與我們同在，然而在生命最黑暗的時刻──一切都在曚昧中時，靈魂卻無法偵知神的同在，那時我們就會知道經驗是不可靠的。就在經驗以為神不在那裡時，信心卻得以看見神。信心可以越過事實的表象，越過曾被誤導的經驗，坦然無懼地、歡然宣告：神確實同在，神照祂的應許與我們同在。

其三，有些人會認為：成為基督徒就相當於得到一張快樂天堂的移民許可證，一旦成為基督徒，那麼今生我們可以輕鬆過關、來生可以可高枕無憂啦！馬丁路德十字架的靈命觀可以幫助我們調整這種一廂情願的想法。主耶穌基督呼召我們來跟從祂，其中的意涵包含了：呼召我們來分享祂的受苦（太八 31～38），如同呼召我們一同來分享祂復活的榮耀。我們需要學習將這種「受苦之旅的模式」放入我們的生活中，在今生的客旅階段我們需要忍受拒絕，經歷死亡的痛苦，才能進入永生。絕對沒有平步青雲的天堂路，苦難的烙痕才是基督徒屬靈生命的標記。因此，一個沒有背負十字架的人算不得是基督徒，因為生活

不像他的主——耶穌基督。這並不是說，一旦成爲基督徒就要尋求受苦的機會，企圖藉著積存苦肉的功德，以求與基督同受苦難。在受苦這件事上，應當讓神來確認我們與基督生命的認同，而不是自己一頭莽撞地意圖參與在基督受苦的生命中。

確實走在認識神的路上

最後，針對現代人講究行動效率、追求成就意義的信仰訴求，馬丁路德十字架的靈命觀也給了一記當頭棒喝。路德非常強調：一切基督徒生命的完成，都是神所作成的；所有的信徒只是奉命行事、作所當作，但沒有作成什麼。對於基督在十字架上所完成的救恩，我們是無能加添什麼、加添了也無所助益。對於神爲了救贖我們，藉著耶穌基督所作成的盡善之功，我們只能默然接受。

馬丁路德的信仰省思如暗夜洪鐘，在十五世紀驚醒了許多的天主教徒，帶動了普世宗教改革運動的思潮；對主動接受基督救恩，卻常忽略救恩眞諦的我們，十字架的靈命觀更迫使我們認眞面對十字架的眞義，挑戰我們檢測自己對神的知識和看法，是否眞是由神啓示的眞理，或僅是一己的臆測之思。唯獨徹底經歷了十字架的人，才可以宣稱他們確實走在認識神的路上。

（楊英慈譯）

道在凡俗瑣事間

聖依納爵(St. Ignatius of Loyola,1491~1556)

17 道在凡俗瑣事間

聖依納爵（1491～1556）

166

❦

「屬靈操練」貴在幫助操練者可以領悟到：只要能在人類最平凡的活動中，在每天比肩摩踵的人際關係中，在一剎那間「經歷到神，彷彿神就臨在你的身邊，臨在你的心中」，那麼，每一天都可以是豐富的一天。

在我們教會中，有三個節日受到特別的慶祝與注意，那就是聖誕節、復活節、受難日。可能是因為這三個節日比較能有血有肉地傳達基督福音的真義。然而，在我們的信仰中，我們似乎很容易「擇一而重之」，比較少人能周全地透視這些節日的神學意涵，忽略了這些節日在神學意義上的互補性。的確，在教會中，我

們常強調「十架救恩」勝過「道成肉身」。沈浸在基督救
恩的活水中，已經足夠使我們一生歡唱「快樂日，快樂
日，救主洗淨……」，似乎，我們就不太需要去注意到，
作爲一位尊貴的神，爲什麼要費盡心思「道成肉身」居住
在平凡的人類之中。如此「偏食」的神學觀影響所及，使
我們普遍具有發育不健全的靈修觀。而羅耀拉的依納爵
（Ignatius of Loyola, 1491～1556）正是我們這個屬靈偏食
症的「對症良藥」。依納爵發現，原來基督的生命是一個
道成肉身的生命，道成肉身的生命正可顯示出人類生命的
價值，他檢視基督道成肉身的過程，才發現原來神站在歷
史的每個環節，神參與了歷史中所有事件。在進一步探討
道成肉身的神學價值之前，讓我們先來認識這位「對症良
藥」的製造者——羅耀拉的依納爵。

耶穌會創辦人

依納爵出身於貴族世家，本是位騎士，住在西班牙巴
斯克（Basque）省的城堡。直到 1521 年在龐普羅納（Pam-
plona）抵抗法國侵略的戰役中，被一枚西班牙所發射的砲
彈擊傷，使他不得不結束他的軍旅生涯。在療傷期間，因
著閱讀屬靈書籍，他的生命經歷了重大的改變，從此卸下
昂貴的武士盔甲，懸掛在 Montserral 的聖母堂中，退隱於
曼雷薩（Manresa）。就是在這個地方，依納爵經歷了一連

串的屬靈經驗，且將它們記錄下來，即日後譯成三十多種語言的《屬靈操練》（*Spiritual Exercises*，中文譯本《聖依納爵神操》，房志榮譯，光啓出版社）。

創立耶穌會的六位年輕男子（包括依納爵、方濟沙勿略、神學家萊尼茲），即是依納爵於 1528～1535 年，在巴黎接受聖職裝備時所召聚組成的。起初自稱爲「耶穌的伙伴」。在向教宗請願後，獲准得以成立一新興的教派組織，於 1539 年自立。

個人屬靈操練指引

《屬靈操練》是一本屬靈操練的原則綱領，也是一份個人指導手冊，是依納爵親身體驗的退隱經歷，由他親手撰述，以作爲引導他人真誠坦率地經驗神的教學指引。該書相當有組織架構，但也是相當有彈性、可通融變化的退修經驗指引。按照該書的「完整版」進行一次徹底的退修，約需三十天的時間。但可視各人情況需要，運用在每日的生活中，甚至可以在不離開家庭、不離開工作的情況下使用該書。若果如此，這種間斷但持續的退修可能需要六個月到一年之久。

依納爵規畫的《屬靈操練》，約略可分爲四個階段或四星期。實際操練中的「星期」並不是一成不變的七天，而是根據個別退隱者的需要，而決定他的一星期是幾天。

因為所謂的「星期」主要是為在操練過程中，便於分辨「階段」之用。這過程肇端於渴慕真道者對神的愛和創造有敬虔的反省，且對個人將來可能的生活方向、生命目標有探索的意願。如此的反省使得該尋道者自然會察覺到「就是罪攔阻了我，使我不能自由地回應神的愛。」之後，才得以正式進入第一星期的操練。一旦明白了神的愛和神的寬恕，就得以自由回應神的呼召，進入第二「星期」的操練。在這一階段中，默想的重點主要在耶穌基督的生平和傳道事工，以及祂對我們的呼召。接著第三階段的默想，無可避免地就是要引導我們專心定睛在耶穌基督的十架上。第四個星期，也就是第四個階段中，尋道者將要分享復活主的喜樂，在默想中，他會明白，要獲得神的愛需要雙管齊下：一個管道是，在禱告中發現神就在每一件事物中；另一個管道是，要回頭，從退修的安息處，回到平凡的生活中。

道成肉身的靈修觀

有了這些背景資料，讓我們再回到依納爵道成肉身的靈修觀中。羅耀拉的依納爵很重要的一項領悟，就是「神居住在所有的事物之中」。如此領悟，影響所及是：靈裡的默想和外在的行為，不再是天南地北的兩碼子事，默想和行為應該是水乳交融的親密戰友。在依納爵的教導中我

們可以發現，藉著強調聖靈需要更寬闊的活動空間，他企圖幫助我們除去禱告時的奇思幻想，使我們的心思能夠獨獨被聖靈所感。他召喚我們要懇求聖靈向我們展示神的心意，在每一個平凡的日子中，甚至在瑣碎的事物中，使我們明白什麼是得以感恩之處，向我們啓示神希望在何處與我們聯合。在瞻望來日時，他要我們向聖靈懇求，能獲得面對明天生活所需最重要的指引。

日復一日，這個發現神的過程，爲依納爵也爲眾信徒帶來新鮮活潑的生命，幫助他們得以避免沈溺在自我陶醉、冗長無度的禱告中。除了強調「要意識到」神就在我們每日平凡生活中，尋道者還被呼召要進入依納爵稱之爲「自我犧牲」、「輕看自己」的境界。實際上，他的描述是更爲生動的，他是要尋道者離開「自我中心」的光景，進入「捨我成仁」的境界，對神對人都能抱持慷慨大方的態度。

在依納爵的教導中，「自我犧牲」對一個尋道者的禱告與行爲是個考驗，因爲每個人都可能爲了「成全自我」而腐敗。一個人只要能在平常的作息中做到眞實的自我犧牲，他就離道不遠，近似與神合一了。因此我們可以說，「屬靈操練」的部分目標，即爲「轉化」日常繁瑣的活動成爲屬靈的經歷，「屬靈操練」貴在幫助操練者可以領悟到：只要能在人類最平凡的活動中、在每天比肩摩踵的人

際關係中，在一刹那間「經歷到神，彷彿神就臨在你的身邊、臨在你的心中」，那麼，每一天都可以是豐富的一天。

道在凡俗瑣事間

因此，對於我們常習而不察地將禱告予以「神聖化」，視之爲生活之外的特殊活動，依納爵覺得那實在不能滿足神的心。那不僅會使我們不知不覺地要藉著技巧操練和組織架構去親近神，也會使我們自然而然地將禱告抽離於凡俗生活之外。然而，凡眞正明白「道成肉身」含義的人，絕對不會將日常的凡俗瑣事排拒於禱告之外。基督徒的禱告應該含括身分和處境的每一個變數。而實際上，我們常有一種不正確的屬靈觀，我們常把日常生活瑣事視爲追求屬靈的包袱與纏累。依納爵對道成肉身的體會，正好幫助我們從纏累中覺醒，且發現神就在這些纏累之中。至高的神就運籌帷幄，化身參與在我們生活中那些惱人的包袱纏累中。因此，讓我們彼此提醒兩件重要的事：

其一，要警覺，不要讓禱告變成只是一種「靈功操練」，對生活沒有助益。

其二，要重視，最美妙的禱告之翼可能就出現在例行的禱告默想之外。

生活在即將邁入二十一世紀的台灣，忙碌已經成了我

們生命的標準模式。忙碌是我們的工作、是我們的寒暄、是我們的藉口……。我們絕對需要學習依納爵「道成肉身的靈修觀」。透過道成肉身的信息檢視我們的生命，並非要我們從忙碌的生活中拿去什麼，或增加什麼，我們只需要換個角度看看，只需要將我們的屬靈生活化入平常的生活，如此才能謹慎地在日常凡俗瑣事間，搜尋神的臨在，且經歷到神正工作在其中。

（楊英慈譯）

在貧困與富足之間下注

聖泰瑞莎(St. Teresa of Avila,1515~1582)

18 在貧困與富足之間下注

聖泰瑞莎（1515～1582）

關於你生命的內涵，如果也是一場可以下注的賭局，
一邊是貧困、一邊是富足，你要下注在哪邊？

生命中最大的問題莫過於對自己認識不清。當
然，我們對自己會有某一程度的認識，但大體
而言，認識得還不夠，不夠徹底了解我們的本相。除此之
外，自我認識之所以如此難以捉摸，因為我們總是向外求
問。我們不顧一切地尋求，向身邊的人尋求肯定和認同。
對大多數的我們而言，我們都是在外人的眼光中尋求認識
自己。

認識自我的屬靈生命

在早期的曠野修士中，「認識自己」也是一個重要的靈修主題。有一個從曠野修士流傳下來，關於三兄弟的故事。

這三個兄弟都盼望能過一個合乎基督心意的生活：老大，著手朝作個和平使者的方向努力；老二，獻身醫治病人；老三，則決定作個曠野中的修道者。然而，老大卻發現，在人群中作和平使者並不是容易的事；老二也發現，醫治生病者並不是容易的差事。這兩兄弟對所選擇的事都無法善終。他們也想知道如此美善的理想，爲何至終卻無法實現，所以他們就跑到曠野去找老三。老三這個修道者就對他們表演了一個比喻：他在一個缽中倒了一些水，然後問兩個哥哥，在那缽水中看到些什麼？哥哥回答：「什麼都看不到！」因爲缽中的水仍未停止轉動。過了一會兒，老三又問哥哥同樣的問題，這次他們說：「可以看到自己的臉。」這時老三才點明說，唯有你確實在那裡，且花時間去看清楚，才能眞正的看清自己，對自己尙且如此，那麼，你怎能企圖改變他人的生命呢？

生命的問題如此龐大，何處可以覓得幫助呢？面對眞實自我的問題，亞威拉的泰瑞莎（Teresa of Avila，有時被稱爲「屬耶穌的泰瑞莎」），這位十六世紀的猶裔修女

爲我們提供了極重大的幫助。她認爲，就屬靈生命的發展而言，「認識自我」是基本而必要的。透過她仔細地描繪和詮釋她個人深入認識自我的經驗，泰瑞莎幫助我們更認識神。在許多的著作中，泰瑞莎爲我們細述了在與神相交的成長中，她個人的內在光景。在我們深入泰瑞莎的屬靈世界以先，讓我們對她的生平略作一番瀏覽。

邁向神的心靈旅程

泰瑞莎（Teresa de Cepeds y Ahumada）於 1515 年 3 月 28 日出生於西班牙的亞威拉，擁有敬虔的雙親和龐大的家族。在 1529 年，泰瑞莎年僅十四歲，母親即不幸逝世。兩年之後，父親就將她送至天主教修女所辦的寄宿學校受教育，約一年後，即因嚴重的疾病而輟學。在修養復健的期間，泰瑞莎對她個人一生的前程作了極嚴肅的思考。1539 年，她又得了一種全身僵硬的病，常常使她陷入意識模糊的狀態，無法自主地控制自己，也有一點癱瘓麻痺的現象。經過一年修養之後，她決定進入亞威拉的加爾默羅天主降生隱修院（Carmelite convent of the Incarnation），那時她還是有局部性麻痺的現象，直到 1542 年，這種病才好轉——只有偶爾出現，直到 1554 年，才告痊癒。

1555 年，泰瑞莎了解到自己「已被內裡的聲音吸引，爲要看見清楚的異象、經驗神的啓示。」她把這個經驗當

作她個人最後的歸正。這個經驗使她深刻的意識到一種置身「神與世界之間的衝突」。透過棄絕對世界的依戀，以及熱衷於對神全然的奉獻，泰瑞莎掙脫了這衝突所帶來的轄制，她寫道：「……我開始禱告已有二十八年，之中有十八年多，我經歷到與神相交，和與世界相交的戰爭與衝突。」（ The Collected Works, 1, chap 8, no. 3.）

因爲自己經歷了這種拒絕世界、放棄財富，全然而單純地向神奉獻的甘甜，泰瑞莎開始尋求改革加爾默羅修會，使它回歸更原始素樸的修道生活。1558 年，她開始著手端正加爾默羅修會鬆散的修道氣氛。1562 年，在嚴格的規條和全然簡樸的要求下，她終於創建了第一所改革的加爾默羅女修會。

1567 年，泰瑞莎認識了加爾默羅修會的一位年輕神父，十架約翰（John of the Cross）。在十架約翰的協助下，也在其他年長領袖的鼓勵下，雖然面對許多敵對的聲浪，她還是建立了更多改革式的女修道會和男修道會。在極差的健康狀況下，泰瑞莎持續旅行各地、創立修會，終於體力不支，卒於 1582 年 10 月 4 日。

泰瑞莎享譽後世的兩大傑作，除了創立加爾默羅改革修會之外，就是她的屬靈作品了，其中泰半多已成爲西方教會的靈修經典之作。爲了在禱告上幫助其他的修道者，回答他們的問題，泰瑞莎寫下《全德之路》（The Way of

Perfection，趙雅博譯，光啓出版社，1986 年），在書中她探討了與神相交之道、回憶的禱告，以及在禱告中的成長。在《創建錄》（*Book of Foundations*）中，泰瑞莎展現了敘述故事的恩賜。她詳細的描述了創建修會的過程，以及一些參與創建修會者的生命。泰瑞莎也寫下《生命》（*Life*）一書，書中頗具自傳色彩的敘述，讓我們得以略知神如何臨在她的生命中，也略窺她之所以步上改革加爾默羅修會的原因。面對當時嚴酷而激烈的宗教裁判所，以及西班牙異端四起的屬靈氣氛，泰瑞莎依然寫下名聞世界的經典之作《七寶樓臺》（*The Interior Castle*，趙雅博譯，光啓出版社，1975 年）。透過個人的屬靈經驗，她引導讀者穿過七間層層相套的巨宅——在頭三間巨宅的描述中，她引導我們進入屬靈生命的序曲，後四間巨宅中的屬靈經歷，代表了修道者與天主之間屬靈婚禮的玄祕聯合之旅。

三個層面的屬靈經驗

現在讓我們一起來探究泰瑞莎的屬靈經驗。她的屬靈經驗可以按她三個主要的經歷分為三個層面：進入自我、認識自我、棄絕自我。首先是「進入自我」。泰瑞莎在《七寶樓臺》中說道：「真理就是存在我們心中的寶藏。」（v.1.2）如此深度的自我認識，對基督徒而言是相當困難的要求。泰瑞莎主張，基督徒的目標應是「要神所

要、求神所求」。所有禱告的目標都是為要與神的旨意相吻合。基督徒生活的基本要道，並不在於道貌岸然的姿態，也不在於只求精神靈性上的生活，或禱告中的特殊經驗，基督徒當努力地、迫切地發現神的旨意。在不斷的尋求中，發現真實的自我，也在尋求神的關係中，經驗到對自我的肯定。生命中任何其他的基礎（如：家世、學歷），都不能提供真正的滿足與幫助。甚至，深入委身的事奉和節制的生活，也都可能成為成長的障礙，妨礙你在與神聯合的生命上有更深入的洞察。泰瑞莎在他的《生命見證》（*Spiritual Testimonies*, no. 14）上寫著，她曾聽到由神而來的話說：「不要企求我被你擁有，反要企求你被我擁有。」

第二個層次的屬靈經驗是「認識自我」。對泰瑞莎而言，這是屬靈生命的每個階段中都需要面對的問題。由於個人的經驗領悟，她有兩點主張：第一點是要認識自己本質上的貧窮。基本上，它意味著，對自己的缺點和恩賜都要絕對的誠實；這也是一種認知，知道我們的美善都是由神而來，是神對我們毫不吝惜的賞賜，永不改變的肯定。在這一方面的經驗上，她看出自己對神的疏忽，和個人生命的破碎不完全，也認識了自己的罪。對泰瑞莎而言，她自覺無法掌控自己的生命，撇下個人的內在洞察、充沛的精力和對神的異象，她實在沒有辦法使這破碎的生命發揮

什麼作用。泰瑞莎承認,她越努力嘗試,越覺困頓乏力。她認清自我生命本質上的貧窮。

但泰瑞莎也提醒,儘管如此,我們也當避免單單把注意力專注在自己的貧窮與罪性上。如此強調自己的罪性與貧窮將導致一種謙遜,一種被自己的軟弱所掩沒的謙遜,甚至使得應自然流露的屬靈生命,也被那「假性的謙遜」壓抑得動彈不得。「如果我們一直注目在自己現世的悲慘上,那麼生命的小河就無法從害怕、懦弱、膽怯的泥濘中穿流而過。」(*The Collected Works*, *2*, *The First Dwelling Places*, chap. 2, no. 10)這種假性的謙遜,實際上是破壞了屬靈生命的成長,抑制了生命成長的企圖。泰瑞莎指稱,這種謙遜是惡者最嚴重的試探之一。

如果,對自己貧窮悲慘景況的意識會產生害怕,泰瑞莎警告,這是一種提醒的訊號,提醒我們太不認識自己了。真實徹底的自我認識,應使我們由狷狹專注中得釋放,因為我們所有的良善都是由神而來,沒有一點良善是我們自己的。

認識自我的貧窮與富足

泰瑞莎關於認識自我的另一點主張是:認識自我的人應該會覺得自己非常的富有。在她生命的核心有一個支持她、鼓勵她的實體,就是她真正的自我。她知道神在她的

心中，她必須學著信任她經驗過的神。她漸漸相信我們的
生命都陳明在神的面前、在祂的恩典之下。我們的生命都
浮游在神仁慈的海洋中。我們不能對神要求任何的稱讚，
因爲都是祂的恩典，我們只能存感恩的心度日。泰瑞莎一
旦認清了她是誰，懼怕就除去了，她就能以全副精神活在
神面前。

　　泰瑞莎的忠告都是對焦在耶穌基督身上，且在耶穌基
督愛的光照下，認識我們眞實的自己。唯有從一開始就將
眼光專注在神身上，我們才能承認自己的貧窮，但這卻不
能成爲我們生命存留的最後宣判。我們生命的最後宣判應
在於神，應在於那位持續愛我們，且呼召我們與祂聯合的
神。這樣的謙遜使我們得以從自我否定的陷溺中浮起，生
命得以欣欣向榮。由於神的信實，因爲祂給我們異象與力
量，我們才得以精力充沛地工作、事奉；而不是出於我們
自己有什麼力量的來源。

　　所以我說，孩子們，我們要定睛在基督身上，在我們良善的
　　主身上，在祂的聖徒身上。如此，我們才能學會真正的謙
　　遜，……。真實的自我認識並不會使人自覺卑賤或怯懦膽
　　小。（同上，no. 11.）

　　正如歷代聖徒所行的一般，泰瑞莎也在神的權柄之下

「棄絕自我」；所不同的是，她掙扎了二十年之久才完全讓自我降服下來。經歷了這個轉變，沒多久，她就開始全力投入創建改革派加爾默羅修會的工作。因此，她對降服於神的討論就常和加爾默羅修會的改革工作連在一起。在《生命見證》一書中，泰瑞莎揭露了當神告訴她「在妳能力範圍內，將妳自己向我降服，不要被任何事打擾，為所賞賜給妳的美善歡喜慶賀，因它極大極美」時，她是如何「極度的渴望幫助這個修會」（no. 10）。她也強調，降服並不是消極地被動地聽命，而是主動積極地與神同工。

因著認識自己的貧窮窘困而向神投降，並不意味著我不願嘗試去努力完成，而是意味著，我不以過度的操心投入所從事的工作（努力但不操心，因為神是工作的主）。（no. 1）

今日基督徒所面對的問題和泰瑞莎一樣，是人類永恆的問題──不夠認識自己，或對自己擁有錯誤的認識。我們常認為我們的問題不在於此，但泰瑞莎教導我們，這就是我們的問題，是我們生命成長的絆腳石。如果我們要忠心的跟隨主，泰瑞莎挑戰我們：我們必須真正的認識自己（有錯謬自我觀的自己），如果我們願意參與這趟自我的探索之旅，我們就能更注意傾聽我們生命的聲音，特別是那不熟悉的部分，錯誤的自我就會開始浮現。當我們越能

盡全力地定睛在神身上時，我們也越能盡全力地扮演自己。泰瑞莎的自我認識，不僅讓她看清自己本質上的貧窮，也在神的恩惠和憐憫中看見自己的富足，享受自己由神所賜無窮的價值。沒有正確的自我認識，就沒有屬靈生命的成長。甚至，沒有正確的自我認識，就會抑制了我們屬靈生命努力成長的可能。透過自我認識，我們能更認識神，因為唯有在與神相交中，我們才能真正的認識自己的貧窮與富足。

（楊英慈譯）

無以名之的雲

184

暗夜靈程

聖十架約翰(St. John of the Cross,1542~1591)

19 暗夜靈程

聖十架約翰（1542～1591）

大多數孩子，甚至連大人也一樣，都害怕「夜晚」，因為夜晚是黑暗的，夜晚使人視而不能見。

夜晚也伴隨著未知與不確定：使人無法確知腳步方向是否正確，使人擔憂不知道什麼地方會迸出來什麼奇怪的東西。儘管如此，我們還是必須承認：夜晚也豐富地蘊藏著人類深邃的經歷。許多作家、思想家和藝術家都是「紙筆伴著枕邊眠」，以便當靈感在夜晚的睡夢之中翩然蒞臨時，可以趕緊將它記下。他們都知道夜晚是智慧和創造力的顛峰時期。夜晚也是解決問題和增進生命成長的最佳時刻。

除此之外，夜晚也是一個探索屬靈經驗的好時機。如我們所知，耶穌善用夜晚的時間來禱告（路六 12）。保羅在夜晚看見了著名的「馬其頓異象」（徒十六 9）。在他前往羅馬的途中，他也提到「有神的使者曾在夜間向他顯現」，向他保證他「必定站在該撒面前」（徒二十七 23～24）。

基於這些原因，我們相信：夜晚象徵著能力。十架約翰也有同樣的見解，「夜晚」正是他與眾不同的靈修觀之所在。他寫道：

一個漆黑的夜晚，
我急切地燃燒著愛的渴望，
——啊，絕對純然的恩典！——
屋外茫然無所見，
屋內依舊悄然寂靜；

在暗夜中，是安全穩妥的，
在隱密中，攀上祕密的階梯，
——啊，絕對純然的恩典！——
在暗夜中，我得著隱密，
屋內依舊悄然寂靜；

喔，引導的夜晚！
喔，何其可愛的夜晚，可愛勝似黎明！
喔，是夜晚，
使至愛者得與祂所愛的合而為一，
在至愛者裡面，改變祂所愛的。

在我熱情洋溢的胸膛，
獨獨為祂存留的胸膛，
祂躺下安歇。
我輕撫著祂，杉林中傳來一陣馨香的微風。

從鐘樓吹來的一陣風，
吹散了祂的頭髮，傷了我的頸項，
祂用溫柔的手，讓我暫時忘了所有的感官知覺。

我放棄了、忘記了我自己，
將我的臉，靠著我所愛的；
萬籟俱寂，我從我而出，
拋卻了鍾愛的種種，忘情於百合花叢中。
（*The Collected Works of St John of the Cross*, Washington,
DC: ICS Publications, 1979, pp. 711～712.）

　　這首獨特不凡的詩章，吸引我們對作者產生了一些好奇。十架約翰（John of the Cross）於 1542 年 6 月 24 日出生於西班牙的 Fontiveros，於二十一歲時加入位於 Medina del Camp 的加爾默羅修道院，並於聖衣會大學（Carmelite College in Salamanca）研習聖職事奉。旋於 1567 年正式成為神父。同年，認識了長者亞威拉的泰瑞莎，在泰瑞莎的鼓勵下，十架約翰也加入了創立改革式加爾默羅修會的行列。1569 年，設立了第一所「赤足加爾默羅修道會」（以不穿鞋、打赤腳著稱）。

　　因為企圖在加爾默羅派中重建嚴苛的修道生活，引起了許多的反抗與摩擦，連帶使得十架約翰的一生充滿了不安與騷動。曾經於 1576 年和 1577～1578 年間，兩度被當時加爾默羅主流派的修士所綁架。在囚禁期間，十架約翰以西班牙文寫下了他一生中最好的作品，著名的《心靈讚歌》（Spiritual Canticle）即是當時寫成的，為詮釋舊約聖經中的雅歌書。逃出位於托萊多（Toledo）的監禁所之後，在安達路西亞（Andalusia），十架約翰以屬靈指導的身分度盡了他的餘生。約翰和他的指導生，特別是加爾默羅的修女們，分享了他的詩作，他們就要求約翰解釋那些詩的意義，以及詩中所描述玄祕的屬靈經驗。那些詩作的解釋後來也集結成冊，就是他的另外四本書：《攀登迦密山》（The Ascent of Mount Carmel）、《心靈暗夜》（The

Dark Night of the Soul)、《心靈讚歌》（與詩作同名）、《愛的火焰》（*The Living Flame of Love*）。十架約翰約於八〇年代中期停止寫作，卒於 1591 年 12 月 14 日，時年四十九歲。

十架約翰的暗夜靈程

研究十架約翰的作品一定要探討：他為什麼將屬靈生命的焦點放在「暗夜」？原來，「暗夜」只是一個形容詞，他用以說明人類在生命被神的恩典成全之前的光景，在《攀登迦密山》一書的起始，他就告訴了我們，為什麼要把基督徒的屬靈生命歷程稱之為「暗夜」：

為什麼將我們與神聯合的靈程稱為「暗夜」，有三個理由：第一，是為了「與世界分別」。要與神聯合的人都要剝淨他對世界的愛戀。這些對自我好惡的否定與剝奪，就像「暗夜」對於人類感官知覺的否定與剝奪。

第二，與神聯合的「過程」或「方法」，就像「暗夜」。因為，與神聯合的道路，無論就心靈感受或就思維推理而言，都是一條不可見的信心之路，因此稱之為「暗夜」。

第三，關係到靈程之旅的目標，就是神。對於人類的生命而言，神就像「暗夜」。那三個暗夜經過我們的靈魂，更恰當地說，是我們的靈魂經過那三個暗夜，為要與神達到神聖的

聯合。

十架約翰解釋什麼是「那三個暗夜」：感官的暗夜、心靈的暗夜、神的暗夜。這三個暗夜為我們整飭出靈魂向神邁進的方向。在這過程中，我們要放棄所熟悉的方法、所緊緊依賴的憑藉。因此，這是個代價無比高昂的過程。但透過這些向神赤露敞開的過程，將帶來成熟完滿的生命。正如黎明乍現之前，必須經過漫漫長夜一般，在生命臻至完滿以先，需先經過感官的暗夜。

如何使靈魂步入暗夜，如何使靈魂步入黑暗的經驗，這是理智運作下的行動，卻不是可控制的行動。正確地說，它是許多「把握良機」與「置之不理」的完美配合。約翰建議我們在進入「感官暗夜」的時候，要持之以耐心、鍥而不捨、堅信不移。會有一段時間，與神無話可說、腦中沒有任何思想、尋索卻沒有答案，但心中必須先有準備，要盡可能地忍耐。值此感官的暗夜中，約翰建議我們，要持續保持「愛的留心」，彷彿暗夜中的守望者，隨時警覺於神的臨近。屆時，與神同在的感受就會取代長久以來暗夜中的孤寂，取代長久等待所帶來的迷惘困惑。

約翰也提及生命中的艱難時刻，因為生命本身就會遭遇到問題。約翰稱之為生命的「午夜時分」、「心靈的暗夜」。在這個階段中，人的罪性和軟弱齊集匯至，甚至，

侵蝕了我們生命中有價值的感官知覺；焦慮和苦毒漫及了整個靈魂。生命體系中的基本信念，和人對自我的價值觀消失殆盡，覺得沒有任何人、任何東西值得信任。靈魂經驗到強烈的孤寂感、被離棄感，這些情愫成了生命的焦點，甚至，似乎連神都離我們遠去。明知在這時，禱告仍是重要的，卻是心有餘而力不足。

在這令人絕望的時刻，目中無神的精靈似乎更藉機偷偷駐進了信徒的心中，肆無忌憚地對生命的目標提出許多質疑。使我們懷疑：是否有任何人或任何事，曾對我們心中最深的渴望，許下任何承諾？或者揣想：難道命運就這樣捉弄我們，使我們的期待落空，使我們僅能在生死兩不知的短暫生命中虛晃而過？

第三個暗夜是「神近似於暗夜」。他的意思並非說「神本身是黑暗的」。相反地，他強調「神是全然的光」。但因為人類先天的軟弱，神難以企及的光，對我們而言，卻是近似於暗夜。按著十架約翰的意思，我們要分清楚「神」和「人類所經驗到的神」是不一樣的。也可以說：對神自己而言，神是光；對我們而言，神卻是黑暗。對神而言，祂自己全然皆是；對我們而言，祂卻一無所是。對神而言，祂自己是豐富完滿的；對我們而言，祂卻是虛幻不可知的。在黑暗、一無所是、虛幻不可知之後，是最高的智慧。為什麼神是如此的智慧，卻給我們帶來如

此大的苦惱？

　　人類的天賦就是如此無能，無法面對神無限的光。只能在生命的狂悲和痛楚中，憂傷飲泣。所有的軟弱、不完全和罪惡感徒增各人的痛苦。約翰解釋道：這就像把一塊潮濕的木頭丟進火中，因著木頭中的水氣，開始的時候，這塊木頭會釋放出難看的黑煙，過一會兒，水氣盡失，木頭開始燃燒，全然與火同化。潮濕的木頭成為火焰。同樣地，靈魂也是透過痛苦的愛之火焰，轉化為愛。

　　這就是十架約翰關於暗夜靈程的教導，「暗夜」是通向神的重要途徑。這不是僅為少數神祕主義者設立的祕密通道。而是為每一個想要親近神的人所設立的不二法門，無論神對他而言，是難以企及的光，或不可知的黑暗。每一個要就近神的人，都要歷經感官的暗夜、心靈的暗夜和神的暗夜。除此之外，十架約翰也教導我們不要怕這些黑暗，要繼續堅信不移，面對我們的罪惡感和不完全。堅信除了神的話語之外，別無他法可以得到赦免與平安。要記得，就像那塊木頭，起初害怕會被火燒到，至終，木頭與火焰漸漸合而為一。

（楊英慈譯）

何妨清修庖廚中

勞倫斯(Lawrence of the Resurrection,1611~1691)

何妨清修庖廚中

勞倫斯（1611～1691）

屬靈的生命無法靠賴英雄式的壯志豪情，和每天苦心孤詣地計畫籌謀；屬靈生命的栽培是老我與神之間，長期的、馬拉松式的拉鋸戰。

對大多數基督徒而言，「不住地禱告」（提前五17）是句耳熟能詳的經文。但若細究其含義，恐怕各人的答案就無法取得一致了。到底保羅寫下這句話時，他真正的意思是什麼？「禱告」一詞，我們都懂，但是，什麼是「不住地禱告」？我們真能不停歇地禱告嗎？自從墮落以後，人類必須汗流滿面才得餬口，意即，我們必須花費許多的時間和心力，才能換取生存所需的食物。

在這個「必須勞力做工」的前提下，應該是沒有人能善用每個清醒的時刻向神禱告的。

然而，保羅的勸誡豈是烏托之言？「不住地禱告」，這也是勞倫斯弟兄對信仰了解和體驗的重點所在，他也以這特殊的禱告幫助了許多基督徒。

伙食修士勞倫斯

赫曼（Nicolas Herman）又稱為勞倫斯弟兄（Brother Lawrence of the Resurrection），於十七世紀初（約 1611 年），出生於法國 Lorraine 的 Herimesnil，1691 年 2 月 12 日卒於巴黎。年輕時曾事軍旅，服役達十八年之久，也曾有一段時間協助管理法國王室的財物。因意外傷害之故，才退出軍戎的行列。因緣際會地，追隨其叔父參與了宗教生活，進入加爾默羅修會。在修會中，沒沒無聞地作了三十年伙食修士，直到雙眼失明，不克勝任其職為止。出人意外的是，他本性純厚，與人相處和樂，未曾受過高深教育，每日所從事的亦非什麼超群絕倫的豐功偉業，但所寫下的靈修作品《隨時體會神的同在》（*The Practice of the Presence of God*）卻影響深遠。三百五十年來，無論是新教徒（即基督徒）或天主教徒都蒙其啟迪良多。

《隨時體會神的同在》是勞倫斯弟兄生前的一些信件、談話手札，在他死後，才被其他修士發現並予整理成

冊。因此，是可以分篇獨立地閱讀的。它包含了這位敬虔修士對信仰追求者或一般平信徒的靈修教導，十分平易好讀。到底這位一生不是拿盾矛，就是拿荼刀、湯杓的修士，對神的同在有何體會呢？

除神之外，別無所愛

首要之務為：棄絕一切，除神之外，別無所愛。勞倫斯弟兄寫道：

> 要進到與神同在的境界，必須將你的心清除乾淨，因為神要單單擁有你的心。如果不將其他雜事、雜物清除乾淨，神就不能單單擁有它，不能住在你心中，不能在你心做祂想做的事，除非你的心中沒有不屬於神的東西。（*The Practice of the Presence of God*, trans. John J. Delaney, Garden City, New York: Doubleday Image Books, 1977）

所謂的棄絕一切、將你的心清除乾淨，不是一時半晌之間的「閉關靜修」，而是長期的操練，隨時對自己的心保持警惕。「注意我們心中一切的動念，如同影響我們世俗的活動一樣，這些動念也影響我們的屬靈生命。」（p. 37）要達到這種自我犧牲的境界，不能仰賴我們自己的小聰明。在心靈淨化的過程，也需仰賴神恩典的幫助與成

全。屬靈的生命無法靠賴英雄式的壯志豪情，和每天苦心孤詣地計畫籌謀；屬靈生命的栽培是老我與神之間，長期的、馬拉松式的拉鋸戰。

專注定睛在神身上

隨時體會神的同在，途徑之二：專一心志，與神同在，將靈魂的雙眼敬虔地、專注地定睛在神的身上。就像我們一樣，對於要根據一套方法或模式持續禱告，都深感困難。他發現，透過想像的運作和愛的動力，他可以置身神的同在之中，更持之以恆地禱告。這是什麼意思呢？簡而言之，他經常在全能之神的目光中看見自己，也了解到那凝視就是至高無上的愛。更確實地說，無論他說什麼或做什麼，都不能使他與神之間的愛分離。從另一方面，也可以說，每一件他所說、所做的事，都成為他與神之間的「黏膠」，都成為這段神人之交的一部分。

當我們不斷操練自己，不斷將自己放在與神同在的景況中時，與神同在就會變成一種習慣。勞倫斯弟兄發現「設定時間的禱告」與「不設定時間的禱告」二者之間的差異。他認為：「比較起參與宗教活動時的禱告而言，宗教活動中的禱告顯得靈裡極度的乾渴，而在日常一般活動中，反而顯得益發與神合一。」（p. 47）。他說：

我們經常有個錯覺，以為：分別為聖的禱告時間，應該不同於其他的時間。其實，正如我們必須在例行的禱告中與神合一；同樣地，我們也應當在必須工作的時間中，與神合一。（p. 49）

向神舉起我們的心

隨時體會神的同在，途徑之三：我們必須以「向神舉起我們的心」為禱告之始，為禱告之繼，為禱告之終。「愛」會成為我們的驅動力、成為我們的動機，使我們尋求要與神聯合。若果如此，為了神的愛，我們會願意讓這些討神歡喜的舉動，介入我們的生命與生活。對勞倫斯弟兄而言，不在於你從事什麼工作，或帶職事奉，或全職事奉都一樣，不需要改變工作，重要的是：就在日常工作中，為神而做。且相信神會賦予我們工作的意義與力量，使我們得以承擔所奉派的差事。想要過一個更屬靈的生活，也不在於改變現在的工作或呼召，而是要在每一個存在的當下經驗到神，就在我們現在的工作中，在我們現在的呼召中。

在日常生活中，當我們注意到我們正參與在神的同在中，會注意我們所做的事，會注意到我們為神而做的事，但我們也應當稍微強調心理的、情感上的撤退：

無論在工作中，在屬靈的閱讀或寫作中，或在任何活動中，
甚至是在正式的敬拜中，或禱告的呢喃中，我們都應該儘可
能地暫停一會兒，悄悄地，使自己能打從心底敬拜神，打從
心底細細品味神的同在，恍如神是稍縱即逝的。既然你知道
神是存在於我們每個俯仰作息之中，那麼，祂也就存在於你
靈魂的最深處。那麼，何不時常從那些特別的禱告、敬拜中
抽身而出，……單單打從心裡敬拜祂，……這些內在的撤退
會漸漸釋放我們，使我們從敗壞中得釋放，使我們從存在於
人類本性中的、自私之愛中得釋放。（p. 102）

　　勞倫斯弟兄推薦，剎時之間脫口而出的「簡短禱
告」，也是很有幫助的禱告，幫助我們隨時提醒自己，神
在日常中隨時的同在。例如：「我的神啊，我全然屬乎
你！」「主啊，幫助我！願我能使祢的心歡喜。」短短的
一句話，一方面向主陳明我們的心志（它未必已成為事
實，但希望將來如此）；一方面提醒自己：這是我生活的
目標，我要朝這個目標努力。不需要什麼高言大志，且相
較起緊湊忙碌的生活，這樣的禱告，似乎顯得過於微不足
道，似乎不能產生什麼影響。但是，長期而言，這樣的禱
告，對我們屬靈生命的成長，卻是強力有效的天然補品。

鍥而不捨，百折不撓

最後一點就是要：鍥而不捨、百折不撓。在剛開始試著要「整天想到神」的時候，會令我們覺得辛苦而造作。但習慣的養成就是要突破這一關。如果你真要養成「不住的禱告」的習慣，那麼你就要常常自我訓練。對初入門者而言，心神渙散、無法時常將心思對準在神身上，這是我們最大的問題。不要輕易放棄，也不要為此焦慮不安，繼續努力培養這個習慣，就是最好的習慣。千萬別讓「渴望與神同在的思慮」成為你新的焦慮。勞倫斯弟兄說，有時候他也會因其他事物而陷入一長段時間的思考，在這段時間內，他完全沒有想到神，「但他沒有被這些中斷所困擾，一旦意識到自己在神面前可憐的光景，他趕緊回到神面前。因為體會到忘記神的悲慘景況，他因而能懷抱更大的信心回到神的面前。」（p. 45）

隨時體會神的同在

忙碌的社會實在是我們屬靈生命的殺手。一不小心，我們的靈命就要開倒車。這本靈修手札《隨時體會神的同在》，正好可以給我們一些幫助。勞倫斯弟兄認為，基督徒的生命無論處在什麼景況，基督都了解。因此，即便我們是身陷「屬世生活的打拼中」，神也會在其中與我們相

遇。無論在家庭裡或在工作中，神都會將他的心意啓示給我們。常常我們會把每天的例行差事，無論是工作或家務事，當成使我們不得與神同在的擾亂因素。但神的心意是要在我們生活的每一部分與我們同在，而不只是在一些靈修、禱告的時候才與我們同在。生活中沒有哪個空間是不夠聖潔，以至於神不願屈身蒞臨；每一件事、每一個活動都有足夠的價值，讓神願意參與其中，在每一件大小事上表達祂的愛。無論在清晨的夢寐之中，或在夜晚的安歇之時，或工作、或娛樂，我們的神隨處隨在。生命的每個時刻都可以體會到神。一旦我們學會隨時體會神的同在，屆時，日復一日乏味無趣的家務事，將會變得輕省而屬靈，因爲流理台邊、大火熱鍋之際，神也同在。所以囉，君子們，清修何妨庖廚中？

（楊英慈譯）

無以名之的雲

讓靈魂不再流浪

約翰衛斯理(John Wesley,1703~1791)

21 讓靈魂不再流浪

約翰衛斯理（1703～1791）

對大多數台灣基督徒而言，「彼此承擔屬靈生命的責任」仍是相當洋化的觀念。在我們的信仰文化中，我們不習慣請求他人為我們的屬靈生命承擔責任。在台灣基督徒的屬靈生命方面，比較缺乏師徒制或門徒制的作法。教會牧者或小組長經常挑戰我們、提醒我們懷著信心與主同行——問題是：如何同行？到底要如何實際地為耶穌而活？很少牧者提出確切可行的指導方針，以至於對基督徒而言，如何在這墮落的世界謀得生存之道，似乎也頗符合「適者生存」的理論。台灣基督徒是生活在一個文化氛圍與屬靈氛圍敵對的環境，身在其中，我們又是少數中的少數，要建立有信心的門徒關係實在不容易。

兩百多年前，衛斯理早已觀察到這一困難，因此他洞

燭機先地強調：為這些掙扎騫步在「屬靈與俗世的兵車之會中」的靈魂，建立有規律的、彼此互助的、有組織的小組支援系統之重要性。這種小組的成立，不僅僅為了促進屬靈生命的成長，事實上，其目的根本不關乎成長與否。更準確地說，這樣的小組不是為了對人的生命做補強的工作，而是為了參與神的護理工作，是不可或缺的、恩典的管道。藉著小組工作，可以使我們確知一個人悔改後，屬靈生命是否日日高昇？使我們看清在這魔鬼暗劍猛攻的世界，聖徒奔走天路的腳蹤是否益發堅定？

　　約翰衛斯理（John Wesley）的才智，以及當時循道主義者的成功之處，不獨在於其超然卓絕的靈修觀，也在於他們小組化的組織方式。當然過於崇尚組織會使主權在神的生命發展受到轄制，但檢視漫長的教會歷史，我們可以發現，有效率的組織對屬靈工作的影響是功多於過的。約翰衛斯理比其他新教徒領袖更加了解，組織系統在屬靈事工上的重要性。因此，他對屬靈的理想、對組織的熱忱有著雙重的委身。在深入了解衛斯理對「彼此承擔責任的門徒關係」之見解前，我們對他的生平略作一番認識。

火中抽出的一根柴

　　在十八世紀初（1703 年），約翰成了撒母耳衛斯理（Samuel Wesley，英國教士和詩人，有著生氣蓬勃的信仰

和無畏的熱情）和蘇珊娜（Susanna）的第十九個孩子。約翰衛斯理是個早熟的孩子，生性敏感。雙親的信仰與性格在他身上留下了不可磨滅的影響，特別是他的母親。六歲時，他們位於厄普衛司（Epworth）的牧師館慘遭祝融之災，在一片混亂中，約翰險遭遺忘，後又戲劇性地為一幫傭所救。他因此稱自己為「火中抽出來的一根柴」，影響所及，對自己的職業生涯有著不可奪其志的天賦使命感。

相繼受教於倫敦一所專為男孩設立的查特豪斯（Charterhouse）修道院學校，和牛津基督教會（Christ Church），於 1724 年取得學士學位，1727 年獲頒碩士學位。1725 年受按立為執事，1726 年獲選為牛津林肯學院的院士。1727～1729 年間，離開倫敦到厄普衛司附近的羅克特（Wroot）教堂，成為牧師父親的助手。1729 年，在林肯學院的邀請下，重返牛津任教，很快成為一小群基督徒的領袖。這個小團體始被稱為「Holy Club」（或意為聖社，或意為聖潔俱樂部，標榜與戲笑兼有之），後又因他們堅持所領受的異象、認真研讀聖經的態度、凡事循規蹈矩、全然委身與神的生活態度而稱之為「Methodist」（循道主義者，語帶譏諷之意）。在 1729 年到 1735 年間，約翰深受精神導師勞威廉（William Law, 1686～1761，名作家，有「英國神祕主義者」之稱，著有《呼召過聖潔生活》，橄欖出版社，1986）和泰勒（Jeremy Taylor,

1613～1667，神學家、名作家、名講員，素有「英國講壇之榮耀」的美譽）的影響。

1735 年，父親過世，衛斯理到美國的喬治亞州向印地安人從事宣教工作，慘遭挫敗，遂於 1738 年搭船返回英國。這期間，認識了德國莫拉維弟兄會（Moravian，類似信義宗敬虔派團體）的一些成員及牧師伯勒爾（Peter Böhler），伯勒爾牧師勸誡他要單單相信基督的救恩，強調因信稱義的教義，使衛斯理大獲啟發。是年 5 月 24 日，衛斯理參加了莫拉維弟兄會在倫敦亞得門街（Aldersgate）的聚會，聽到有人在會中宣讀馬丁路德羅馬書註釋的序言，感受到「心中異樣的溫暖」（當時他三十五歲，已經擔任英國國教牧師，已過著簡樸、神聖、熱心事奉的生活達十二年之久）。這些一連串的經歷使他產生了一種對救贖的新體驗，賦予他新的熱忱與動力。衛斯理也專程拜訪了莫拉維弟兄會在德國的中心，返回英國後，旋即與聖社的另一成員懷特腓德（George Whitefield）開始傳講「因信稱義」的真理，為英國點燃一股復興的火焰。

1739 年，布里斯托（Bristol）有一群剛得著復興的礦工信徒，約翰衛斯理和懷特腓德一起到那裡去教導、組織他們。就在這個時候，藉著把這一群新歸信者編入循道者的家庭小組或小組中，約翰衛斯理在組織方面的才幹開始顯明出來。就是透過這樣組織，循道主義者所帶動的復興

得以持續五十年之久。約翰衛斯理平均每年騎馬走四千哩路，四處旅行佈道、牧養，一生講道約四萬篇，腳蹤遍及全英國，影響所及，甚至在美國也有他所訓練差派出去的宣教士。即便循道主義者所帶動的復興及影響如此的廣泛，衛斯理終其一生仍堅持忠於英國國教，他的努力，如他所言：「不在於形成新的派別，而在於改良這個民族──尤其是這個（國家的）教會──且要讓聖經中的神聖遍及英倫大地」。直到衛斯理卒於 1791 年，循道主義者果然一直沒有與英國國教分離，目前的衛理公會、拿撒勒人會、救世軍皆從此一脈絡分支而來。

承擔屬靈生命責任

接下來，讓我們將焦點對準在約翰衛斯理對「承擔屬靈生命責任」的見解上。衛斯理對救恩的理解和他對組織的規畫是並行不悖的。他視「得救」為一連串的「過程」，而不僅是昭告一時的「宣言」。這個見解暗示：當時有許多小組，這些小組在信仰方面表現出不同程度的熱忱。的確，衛斯理非常熟悉英國國教宗教團體所使用的組織架構，他即從中汲取了他們的形式。依這個模式，衛斯理將整個的循道主義社員，分成許多的「家庭小組」，每個家庭小組都包含了許多委身奉獻的年輕人，他們因彼此支持、相互啓發教導、一起做工而聚在一起。衛斯理又將

這些家庭小組的成員更分成許多的「小組」。

這種「小組」是按性別、年齡和婚姻狀況,而加以區分,並由社團提供安全的場所,以作為認罪悔改和靈魂探索之用。每週聚會一次,始之以祈禱,終之以祈禱。在聚會中,每位成員都有機會自由地發言,毫無攔阻地述說各人從上週聚會之後的屬靈景況、所犯的過錯、所面對的試探。其成員比家庭小組更少,關係也更加親密,相互之間有一種高度的委身與彼此的信任。在衛斯理規條中,載有當時的小組公約,警告說:

謹慎考慮!你是否希望我們把所思所想的,所害怕的,你所關切的都告訴你?你是否希望在告訴你的同時,我們能越來越親密?那麼,我們需要儘快地探索你的心靈。(David Watson, *The Early Methodist Class Meeting: Its Origin and Significance*, Nashville: Discipleship Resources, 1980, p. 200)

為了確定每個心靈都能探索到底,衛斯理擬定了一些問題,以便能準確地描繪出每個人的靈命進程:

1. 自從上次聚會後,你是否犯了什麼已知的罪?
2. 自從上次聚會後,你是否遇到了什麼試探?
3. 你是否已得到釋放?

4. 你曾否懷疑自己的所思、所言、所行,涉及犯罪?

5. 你是否絲毫沒有需要隱藏的祕密?(同上,200頁)

分級聚會的設立

為了因應循道運動蓬勃的發展,衛斯理面對了組織上的挑戰,也為了使該運動的衝勁能持續維持,除了「家庭小組」和「小組」之外,衛斯理還設立了「分級聚會」。分級聚會的設立,一方面解決了當時特殊的財物上的危機,也成為衛斯理對「承擔責任的組織」上最成功、最持久的策略。

循道主義的分級聚會肇始於1742年,為方便、有效率的方式來收集奉獻,以償付布里斯托的家庭小組所積欠的債務。該家庭小組成員逾千人,後又分為十二個小組,每個小組設有一位平信徒領袖。小組領袖每週要從該小組的每位組員收集一便士(a penny),此舉使得小組員必須每週聚集一次,否則小組長只好登門造訪了。衛斯理之所以做如是的安排,其重點倒不僅在於整個團體需要那一便士的奉獻,也為了可以每週探尋到每位組員的屬靈光景。分級聚會的領袖必須和家庭小組的小組長保持密切的聯繫。最後,「分級聚會」的組織成為入會的唯一門徑。

入會唯一的要求是:「如果你想要逃避那將要來的憤

怒」。衛斯理認爲，一個想要逃避神憤怒的人會有三方面
的表現：第一，會逃避所有已知的罪；第二，會做好事；
第三，會出席所有的聚會，如：禱告會、主餐聚會、查經
聚會、崇拜聚會，以及分級聚會。分級聚會是以禱告開
始，繼之以唱詩歌，再由每位成員報告他們過去一週以來
的屬靈光景。

衛斯理對分級聚會的成功深感欣慰：

你實在難以想像，從這個慎重的規例可以得到多大的益處！
如今許多人經驗到前所未曾想見的基督徒團契。他們開始
「承擔他人的擔子」，且自然地「關心其他人」。當他們一
天比一天更加親蜜、熟悉，就一天比一天更加彼此相愛。並
且「用愛心說誠實話，凡事長進，連於元首基督」。（*The
Works of John Wesley,* Vol 8, 3rd edition, Grand Rapids, Michi-
gan: Baker Book House, 1979, p. 254）

衛斯理視「分級聚會」爲完成聖經在歌羅西書三章 16
節教導的理想途徑：「當用各樣的智慧，把基督的道理，
豐豐富富的存在心裡，用詩章、頌詞、靈歌、彼此教導、
互相勸誡、心被恩感、歌頌神」。因爲，要完成這個命
令，需要一個如「分級聚會」一樣堅定穩固的支援系統，
以維持基督徒對屬靈成長的渴望。

讓靈魂不再流浪

　　當我們的教會正朝小組化發展的當下，或者，會友靈裡冷淡、缺乏對基督的委身熱忱時，從衛斯理對「彼此承擔屬靈生命責任」的見解與作法上，有許多值得我們借鏡的地方。我們俯仰在這個墮落的世界，要真正成為耶穌基督的門徒，實在是一件不容易的事，經常發生的是，在一陣鼓舞之後，我們心中即張滿信心的風帆，蓄勢待發，但一與世界接觸，船即觸礁、風帆破裂。我們經常怯於承認：自己正求生於一個豺狼虎豹的動物園，心中細嫩的屬靈幼苗需要一些扶持的支架。而藉著小組牧養，我們可以彼此承擔責任。衛斯理及這些循道主義者的運動，教導我們善加利用「屬靈支持小組」的必要性，以及要彼此互助、與神同工，一起承擔肢體屬靈生命的責任。

（楊英慈譯）

深化生命三祕方

沙雷的聖方濟(St. francis de Sales,1567~1622)

22 深化生命三祕方
沙雷的聖方濟（1567～1622）

放眼當今的世代，再也沒有其他特質如同「膚淺」一般，如此令人心頭無力。許多人，似乎都自足於如同湍流一般的生命：河床寬及英哩，河深僅沒足踝。傅士德（Richard Foster）在其所著的《屬靈操練禮讚》（*Celebration of Discipline*）一書中，沈痛地分析道：

膚淺是我們這個時代的趨勢。隨吃隨飽式的教義是屬靈問題的主要癥結。今日所亟需的，並不是大群的才高智大者，也不是大有恩賜的人，而是有深度的人。

我完全同意。然而「深度」並不是偶像級的美德，也非唾手可得的裝飾品。許多媒體節目極盡各種聲光形色之

能事，吸引我們的注意、博取我們的歡心，然而並未深化我們的生命。令人惋惜的是，教會也沒有鼓勵追求有深度的生命。過多的活動和節目，使許多基督徒忙碌到幾近疲倦的程度。在面對重要的事，如：重整生命方向、重新安排事件的優先順序時，極少有人讚揚延緩、沈寂，或靜思默想的美德。

在沙雷的方濟（Francis de Sales）之作品中，找到傅士德所尋找的「有深度的生命」，著實令人心神為之一振。綜觀方濟的作品，他所鼓舞、建造的正是這種人。方濟教導我們：耶穌的生活並不僅只是一些事實或口號，它也是可實現的理想生活典範。方濟且引導我們，讓耶穌活在我們裡面，透過我們活出耶穌來。

對神有深度的愛

出生於法國沙雷城堡，在十個孩子中，方濟排行第一。完成巴黎克利孟特耶穌會學院的課程後，旋即前往義大利的咆杜大學研習法律。不久即因深痛的屬靈經歷而宣告要投身修道的行伍。於 1593 年，方濟受按立為司鐸，翌年，出任瑞士日內瓦地區的監督。因獲得講道有力、為人聖潔的名聲，於 1602 年更成為日內瓦的主教。

1610 年，方濟與桑貞德（Jane de Chantal，方濟的屬靈指導生），共同創建了聖母往見會。是一所專為感受到

上主召喚，卻因不夠年輕、不夠強壯，或因家庭的纏累，以致不克進入一般嚴格女修會的婦女所設立的修道院。

在 1608～1616 年間，沙雷的方濟致力於兩本書的著作：《論神的愛》（ *Treatise on the Love of God* ），及《敬虔之路》（ *The Introduction to the Devout* ）。這兩本書一經出版即大受歡迎，且常被轉譯為靈修學上的指導手冊。在《敬虔之路》中，渴望更多愛神的菲羅絲是貫串全書的要角。首先，她被教以對神委身奉獻的真義，「是屬靈的敏銳度使我們得以立即地、全然地回應愛對我們的要求。」這意味著，我們不僅是要做對的事，甚至通常是困難的事，且是雀躍、猛撲著去做。之後，菲羅絲又被教以如何針對靈裡的奉獻，作出意志上的抉擇。在這一點上，方濟教她要默想主的生命、主的死亡，如何禱告、如何盡善地回應神的恩典。本書的第三、第四部分，是針對諸般的美德，予以心理學上的分析，以及如何在每日的生活中避免陷阱誘惑。最後一部分，菲羅絲於一年一度的退修反省期中受益匪淺，使她對神委身的心志再得復興。

《論神的愛》是一部針對神的愛在靈魂中的起源、成長、發展的途徑，做系統研究的書。探討神的愛如何在禱告中、在人際關係之間、在日復一日的生活中，實際地影響著聖徒生命中愛的成長。該書的首四卷，向我們展示出靈魂因著神的愛，所獲致的神祕生命之起源，及其管理法

則。該書第二部分（5～9 卷），則描述二者的聯合如何邁向神的愛所期待的方向，以及那神祕靈禱的本質。最後一部分（10～12 卷），又回到起首的主題，針對各項卑微的美德提出簡易的實踐法。方濟也討論了「心醉神迷」（ecstasy）和那「愛者」的關係。方濟了解，神的愛就像心醉神迷的感覺一樣，和一般冰冷疏離的修道院所見不同，一般修道院對神的愛的體會，僅超然存在於自我之外。在對待鄰舍的愛中越發捨去自我，你將越發獲致神的同在。耶穌在祂的生活和死亡中，完成了靈魂的典範，就是在神裡將自我和得失置之度外。另一部作品《靈修清談》（Spiritual Conference）是在方濟過世之後方才出版的，其中包含了他的書信和後人對他談話的記錄。方濟一生致力於所分配到的山地教牧區之牧職與行政工作，卒於 1622 年，時方五十五歲。

深邃樂觀主義的靈修觀

現在讓我們將焦點對準在方濟的靈修觀上。簡而言之，這位沙雷高僧的靈修觀，向以深邃的樂觀主義著稱。這種樂觀主義在抱持奧古斯丁傳統之苦修主義者聽來，眞是如坐針氈。對沙雷方濟而言，上帝特質之要，首推神的愛與同情憐憫。因爲神就是愛。唯因其爲愛的神，才能在愛中屈身傾向受造的世界。在迷途回轉之中的人類，也才

能自然地步向神。在其第二部著作《論神的愛》中,他如此描述愛的神:永存的神意圖與受造物親密地聯合。儘管這世界墮落了,神仍然將自己伸向受造之物,藉著愛子的犧牲,給世界以救贖。甚至,在祂豐盛的恩典中,神給予每個受造物恩典,可以獲致個人的救恩。神的意圖是,每一個人都可以與祂建立親密的關係。因為這是人類被造極重要的原因。

方濟道:

看那門口的神聖之愛。祂不僅僅敲一次門。祂一再地敲。祂呼喚靈魂道:來吧!醒起,我的愛,趕快來!祂把手放在門鎖上,試試看祂是否能打開……。簡言之,神聖的救主從沒有忘記展現祂的慈悲憐憫,甚於展現祂的工作。祂的憐憫勝於祂的審判,祂的救贖無可測度,祂的愛無遠弗屆。正如使徒所說,因祂豐盛的憐憫,祂希望眾人得救,不願一人沈淪。(《論神的愛》,II, 8)

沙雷的方濟認為,在人的裡面有一種相對的衝動,以回應所接收到的「神的愛」。因為是神採取主動,以恩典探觸每一個個體。是神恩典的邀約,為要使我們與神合一,而回應神如此的邀約,是每一個個體的責任。

如此的神/人之愛具有一種彼此互動的關係。這關係

奇妙難測，彷如情意相投、心脈相通。正如心臟之有呼、有吸，神的心也是一再地呼出愛、吸取愛。人類因著與神聖之神心相契合，也跟著一再地呼出愛、吸取愛。這是理想的景象。然而，實際上神／人之間的互動，並不都是和諧流暢的。因為就墮落的人而言，其愛的本質已經受傷了，不再具有人受造時的本能了。因此在凡俗心與神聖心之間需要另一顆心，一顆同時具有人之凡俗與神之超然聖潔的心，以幫助人類和神聖之愛得以呼吸與共。這顆心不假他求，即十架上受苦犧牲之耶穌的心。

雖然有耶穌成為聖神和凡人之間的中保，這個回應神的人還是有應當承擔的差事，就是要確認自己的心思意念與十架之主相同，要讓耶穌活在他（她）裡面，讓耶穌管理他（她）的生命。這才是真正的基督徒生活。「活出耶穌！」是沙雷方濟的座右銘。方濟和桑貞德在他們屬靈師生的通信中，都是以這個座右銘為開場白的。

在沙雷方濟的靈修世界中，活在人們心中的耶穌有其特定的形象。他從他最喜歡的經文之一，馬太福音十一章28～30節得到靈感。方濟和桑貞德都視耶穌為可就近、可學習的對象。在方濟的教導中，耶穌有著一顆謙遜卑微的心，是和藹可親的。正是這和藹可親和謙遜卑微的心挑戰了這世界，展現出與文化抗衡的特色。對這位沙雷高僧而言，「負主的軛」就是要在自我之中培植出耶穌和藹可

親、謙遜卑微的美德。由此看來,整個沙雷方濟的靈程規畫,即:使在個人逐步的轉變中,漸漸擁有耶穌柔和謙卑的形象。

沙雷方濟靈修觀中的另一主旋律是:對一些微小事物,予以深度的讚揚。如此的思想深植於方濟作品中,其中有三項特別卓然超拔於眾美德中。

一、溫柔敦厚(douceur)

douceur,這是一個頗難找到恰當翻譯的字眼,它有親切、溫和、優雅、恩慈和柔順的意思,我們在這裡稱之爲「溫柔敦厚」。溫柔敦厚是主耶穌給背負重擔者的,輕省的負擔。這個美德予人溫和柔順、滿有恩典的感覺。並不是指個人本然的性情,而是指一個人的存心。因此方濟認爲一個人的靈命可以藉著滿有恩典的生活表達出來,是一種活在神裡面的生命。他甚至認爲,不是只有聖職人員才應該有溫和柔順的心。應該是所有的人都蒙召要有溫柔敦厚的生命。溫柔敦厚的特質也當在複雜多變、匆忙賽頓的每日生活中被活出來。

二、謙恭自遜

另一項爲方濟看重的微小美德爲「謙恭自遜」,也成了教會在古典靈修傳統中的一項理想美德。謙恭自遜對方

濟而言，是承認人類的實現有賴於神的成全。這是一種對自我深邃的了解，且認識到人類的驕傲唯有導致自我毀滅一途。謙恭自遜指的並非自覺羞辱，不是一種負面的感覺，它是承認自己的有限，以及對神之無限豐富的需要。

　　沙雷方濟在《敬虔之路》中提到，我們所當培植的「謙恭自遜」有許多的典型和程度。他先提到，外在的謙恭自遜，即應當拒絕對自己的社會階級、功業彪炳感到驕傲。也有較深入的、內在的謙恭自遜。他提到，這種內在的謙恭自遜需要敏銳的警覺到，所有個人擁有的，都是由神而來的，且是我們不該得的。因此，一個真正謙卑自遜的人會認識自己的卑微平凡，沙雷方濟稱之為「自卑可憐」。由自覺自卑可憐的心中所生發出來的愛，就是最深邃的謙卑自遜。就是在寶貴的自我破碎的人性中，可憐的人遇見了神。就是在自覺自卑可憐、覺得自己內裡空洞貧乏之際，這個人得以和十架上受苦的耶穌進入深邃的生命共享。這就稱之為效法耶穌，因為耶穌也是在受苦和死亡中擁抱了祂自己的自卑可憐。由此看來，對沙雷方濟而言，人類所要尋求的事，就是讓耶穌真實地活在我們當中，也透過我們活出耶穌。

三、簡約自若

　　第三項深刻生命的美德是簡約自若。沙雷方濟對簡約

自若的見解主要創建於，建立聖母往見院時的團契生活。在這個修道院中，婦女們被要求操練簡單的生活型態，被鼓勵培植內在的簡約自若。什麼是簡約自若呢？是對自我的內在生活可以透明化，可以揭去自我保護和自我意識的面紗。在聖母往見院的成員要操練對世人、對神都有簡約自若的美德。在禱告方面他們被教導：不再定睛在自己身上，當轉眼看神。在方濟心目中，簡單的自我是完美靈命的典範。因為他相信，唯有在簡約自若的美德中，主耶穌才能真實地活出來。

溫柔敦厚、謙卑自遜，以及簡約自若，是眾善之中小小的美德，卻為沙雷方濟所大大的看重。藉著實踐這些美德，在生活的瑣事中體現這些美德，我們得以活出耶穌的心。沙雷方濟提醒我們：我們屬靈生命的核心是「活出耶穌」。主耶穌應能在每一方面激勵我們的生命，應該是我們生命的中心。有多少時候，耶穌只活在我們生命的邊緣？甚至在許多關鍵時刻，我們僅僅與祂擦身而過？屬乎耶穌的人哪！應當不計代價，追求體會耶穌真實地活在我們生命中。

（楊英慈譯）

單單讓神愛你

蓋恩夫人(Mme Guyon, 1648~1717)

23 單單讓神愛你

蓋恩夫人（1648～1717）

環顧西方教會的女性神祕主義者，蓋恩夫人（Mme. Guyon）無疑是華人教會中最令人耳熟能詳的一位。她的著作之所以長年以來，一直在基督教書房的「作者專櫃」中，佔有著不小的位置，究其原因，乃拜倪柝聲弟兄推介之功，他不僅自己讀蓋恩夫人的作品，也引導「小群聚會」（即聚會所）中的新歸信者讀其作品，經常在倪氏著作信息中提及蓋恩夫人的見證、作品，以爲弟兄姊妹的榜樣，倪氏本人深受蓋恩夫人影響，因著她的著作，倪氏亦成了強調內在生命的神祕主義者。

除了廣爲人知與相當程度的影響力之外，蓋恩夫人一直以來也是個爭議性的人物，是個頗受責難的寂靜主義者。寂靜主義者主張一切出自於神，對「人類的努力」與

「創新的才幹」持懷疑的態度。對神的恩典與眷顧採被動接受的態度。即便如此，在她心靈和理性上仍然存在著衝突的問題。歸結這許多問題乃肇因於：母親對她的忽略、與表哥不美滿的婚姻、相繼失去兩個孩子，第三個孩子又因感染流行性的天花疫疾而致容貌變醜……等原因，導致其心靈上的挫敗感。因此之故，她常被拒斥爲「歇斯底里症」。其實，在驟下斷語之前，我們應多方考慮她的生平遭遇。甚至，若要公允地評估蓋恩夫人，我們亦當去理解：爲何她對當時一些獨具慧眼的靈修大師有如許深厚的影響力？在她的著作中可以看出，她高度的屬靈敏感度和屬靈能力是有人、事可資證明的。蓋恩夫人何許人也？爲何她能在華人教會中吸引如此眾多的跟隨者？讓我們就從她的生平著手了解吧！

被接納與受聲勤

蓋恩夫人原名貞瑪琍（Jeanne-Marie Bouvier de la Motte Guyon），出生於法國蒙他吉斯（Montargis）的貴族家庭中，受教育於女子修道院，也希望能成爲修會中終身不婚的修女。卻於 1664 年，遭母親所迫，與大她二十二歲又患病在身的蓋恩傑克斯結褵，直到十二年後，蓋恩先生去世，這宗不愉快的婚姻才告終止。成爲孀居寡婦之後，蓋恩夫人在屬靈生命上又更進深一層，她深受西班牙寂靜主

義者莫林諾斯（Miguel de Molinos, 1640～1696）之作品所影響，亦接受方濟會司鐸庫姆教士（Francois La Combe, 1643～1715）的屬靈指導，追隨該教士旅行法國、瑞士、義大利的許多地方，達五年之久，佈傳「完全棄絕自我的努力，藉著禱告全然交託主手」的靈修操練。二人被懷疑有異端思想的教導和不道德的隱情，庫姆教士於1687年被捕，監禁終生。蓋恩夫人於1688年被捕，八個月後，因法王路易十四之妻的介入干涉，而獲釋放。蓋恩夫人一躍爲貴族圈中的顯要人物，且經常在皇后女子學校演說講道。她最敬仰的是芬乃倫大主教（Francois Fénelon），自1688年起他們即有信件往來。在蓋恩夫人遭譴責之時，芬乃倫總是爲她辯護。

面對衆多的抨擊聲勦，蓋恩夫人請求舉辦一個神學調查委員會，以爲她的思想辯駁。結果在依斯會議（Conference of Issy）中，蓋恩夫人被判有罪，再度因主張異端而被逮捕下獄，六年之久，先後被囚於維塞尼埃（Vincenne）和巴斯堤爾（Bastille）。最後被釋放於1703年，餘生的十四年，終老於女婿的莊園中。蓋恩夫人是位多產作家，其中最知名者爲《簡短禱告良方》（Short and Very Easy Methods of Prayer），《突破靈命之繭》（Spiritual Torments），《蓋恩夫人傳》（Autobiography），總計其先後出版的大小著作，約四十本。

自我棄絕的禱告

　　蓋恩夫人的《簡短禱告良方》（1685）可能是著作中最為人所周知的作品。該書因主張「自我棄絕，被動成全主的旨意」，遂於 1699 年為羅馬天主教會所禁止，不料卻於基督教界大受歡迎。以下就讓我們一起來看看蓋恩夫人在禱告方面的教導：

　　蓋恩夫人開宗明義地說明：「什麼是禱告」。她說，「禱告」不僅僅是為了「自己的需要」或為了「達到神的要求」。禱告對她而言，是一種心靈的狀態，在禱告中，心靈在信和愛裡，與神聯合。凡有這種心靈的人，任何時間都能禱告。禱告是心靈自然地、無意識地流露。

　　接著，她教導我們三個禱告的方法：

第一，不要以重複某種形式的禱告為苦。
　　甚至，她建議：你可以由主禱文入手，來學習禱告，帶著堅信不移的心，不要急著跳到下一句，慢慢地、反覆地重複禱告。重複地禱告，彷彿所重複的就是禱告的結果，不管重複幾次。

第二，彷彿置身神的面前，置身在就要與之復和的那位面前。

從祂面前我們將得到諸般的好處。要了解，神的心意較比起我們「單單要親近祂的意圖」是恢弘大度多了，因為神的心意是要將祂自己賜給我們。蓋恩夫人警告我們，不要隨意揣度「誰像神」，或「神像誰」，單單讓祂存在我們的心中。

第三，不要忘記三位一體中的第二位耶穌基督，是道路、真理、生命，是我們的救贖主。

我們當學習藉著耶穌基督仰望神。終止我們的努力，以至於我們可以藉著信心，在耶穌基督裡找到力量。

當你試圖了解，為何你可以經過屬靈生命的「枯乾期」，而神卻向你隱藏時，她寫道：因為神要將你從屬靈的怠惰中喚醒，神要你能熾烈地想要親近神。你會經驗到靈魂乾旱無水之苦。她告訴我們：這是神處理我們的方式。在這個階段中，我們應該在自我否定、自慚形穢、自我棄絕中，以耐心的愛、堅忍不拔的愛來回應神。

對蓋恩夫人而言，「自動棄絕」，是深化屬靈經驗，使靈命成長的關鍵；是斷絕妄念，放棄自我，或全然向神委身的行動。委身的意思是：將自己的意志交付給神；將意志以雙手奉上，交給神保護管理。「棄絕」是將各人心

中所在乎想望的，所思欲的念頭，全然棄之若朽木（太六32、34；箴三6，十六3，詩三十七5）。忘掉你的過去；蓋恩夫人寫道：要專一心志，逐時累日地，以神的意念取代你的意念。因為，在你生命中，每一件關乎你的事情，你的思想、觀念，都可以成為神旨意的宣言。

她也警告我們：苦難會進入我們的生命中。苦難將揭露我們屬靈生命的內涵，將察驗出我們是否全然委身給神。由此看來，「苦難」與向來被認為是神奧祕旨意的「試煉」之間，不僅脫離不了關係，更應視苦難為試驗，是唯一能試驗出我們與神真實關係的方法，當苦難來臨時，它連那自動棄絕者生命中丁點私密的欲念都會揭露。有時，你會在剛強時背負基督的十架；有時，你會在軟弱時背負基督的十架。因此，以什麼態度來承擔這導致十架之苦的苦難，就變得十分重要了。你是否已棄絕自我的努力歸向神？如果是，那麼你必會豁然明瞭：神就是要透過你棄絕自我的努力，向你啟示祂自己。一旦祂開始改變我們，祂就會在我們身上留下祂作工的印記。因此，在患難中，蓋恩夫人寫道：只要繼續愛祂，持續地愛祂，就會成就一個敬虔的生命，敬虔與神同行的生命。

淨化靈魂的靈命觀

對蓋恩夫人而言，靈魂做越少的努力，神就會做越強

的工作。她對淨化靈魂的看法,也是不帶任何屬靈原則和努力的:神會自動淨化我們的靈魂,神會自動將我們牽引向祂自己。我們能做的唯有「讓神做工」。

神具有一種吸引人的美德,能將靈魂越來越強地牽引向祂自己,在牽引之時,祂同時淨化這靈魂。正如我們所見的:太陽會慢慢地吸引蒸氣,會把濃厚的蒸氣吸向自己;蒸氣並沒有做任何的努力,單單讓自己被太陽吸引。越接近太陽的本體,越發粹鍊純淨。唯一的不同在於:靈魂是志願被神吸引。(*A Method of Prayer*, Madame Guyor, translated by Dugald Macfadyer, London, James Clark & Co., 1902, p. 48)

她繼續寫道:

不藉著強迫推逼,而藉著本身最自然的習性,使靈魂趨近神,這種內省的或轉而向內尋求的做法是再簡單不過的。因為祂就是我們屬靈生命的中樞。這中樞擁有最具吸引力的美德,這中樞越屬靈越卓越,它吸引靈魂的魅力就越發澎湃激烈;其魅力越激烈,就更難中止其吸引力。(同上,48頁)

對蓋恩夫人而言,這屬靈生命的中樞具有極大的吸引力,人類這受造物與那屬靈生命的中樞之間,有一種「強

烈重新合一的傾向」。投擲石頭到空中,它會自然地向地球的中心掉落,所有的河川也會自然地匯向海洋。具有屬靈生命的受造物與此相似,甚至有過之而無不及地,也會自然地傾向他們的生命中樞,那就是神。由此看來,應有兩股力量導引著靈魂親近神:神自己的吸引力與靈魂向著神的趨近力。因此,作為一個受造物,我們擁有從神而來的天然拉力,自己也易於傾向於神。任何的努力奮鬥都可能阻礙我們回轉向神——我們的生命中樞。

全然寂靜的禱告

　　照蓋恩夫人的看法,禱告的精髓應是「寂靜的禱告」。當靈魂唯一的需求成了無言的期望,那期望就會「因此成就」。以全然倚靠神取代個人機制的努力,加上「寂靜的禱告」,那就與神達到神聖的聯合了。持續的禱告,將寂靜的禱告表明在神面前,你將發現:神全然地擁有了你,並且,你會在主面前經驗到完全的安息。要記住:自我的努力會帶來不安;要記得先知的責備:「你(到處尋找虛假的神祇)因路遠疲倦,卻不說:『這是枉然!』」(賽五十七 10)經常操練這種全然安息、寂靜的禱告,漸漸地,這種內在的平安會成為你每天的、經常的習慣。因為禱告會成為祂的同在,蓋恩夫人如此擔保。

　　在神面前寂靜是會帶來新意義的,蓋恩夫人寫道。就

如你所了解，肉體的本性是如此悖離神，因此我們必須使
這本性沉寂在祂的同在中。一旦神的本性藉著話語啓示出
來，一旦我們聽到祂的話語，我們當聽任神進入我們心
中。當全神貫注聆聽神的話語，而後，歡迎祂進入我們的
心中。當然，我們也要讓靈魂全然向神敞開，以至於我們
可以在祂面前達到更深的表白與悔罪。

　　她寫道：

外表寂靜對內裡寂靜的養成是十分必要的。的確，若不喜愛
外表的寂靜和幽靜的處所，是不可能達致內裡的寂靜的。神
自己藉著先知的口告訴我們：「後來我必勸導他，領他到曠
野，對他說安慰的話。」（何二 14）一個人怎麼可能內裡
與神親密相交，外表卻忙於諸多的瑣事？絕對不可能！傾聽
神的話語，使自己全然專注於神，忘卻自己和所有個人的愛
欲貪癡，是十分必要的。（同上，66 頁）

　　再者，如果我們正尋求要過一種無欲無求的生活，而
我們又要在禱告中有所祈求，那怎麼辦？

　　當然還是要去禱告！當然，許多紛雜的意念和試探引
誘仍然會來攪擾我們。若讓心思就此被盤據，那生命的景
況只有雪上加霜的可能。蓋恩夫人勸告我們，要轉離心
思，不要逗留沉溺。

單單讓神愛你

　　總而言之，蓋恩夫人籲請教內同工注意：唯有在初信者心中受到感動，且被領進眞實的禱告中，在禱告中經驗到耶穌基督的同在，那麼才可能有更多人繼續成爲眞實的門徒。因爲對她而言，她所教導的禱告生命對任何眞正耶穌基督的門徒都是必要的，那些從未經驗到與主耶穌基督內裡的、屬靈生命關係的人，其損失是何等大啊！

　　縱然，普遍而言，主流派對蓋恩夫人的評價以負面爲多，但她屬靈的洞察力和生命的能力仍是不容忽視的，仍然爲那些尋求與神有更深關係的人，帶來強而有力的引導。難怪她的教導歷經兩、三百年，仍然吸引了許多跟隨者。因爲她的屬靈生命具有一種不專斷的特質，一種與日俱增的超越性，得以容讓神逐漸的駐進我們的靈魂。這教導在過去也曾爲其他神祕主義者所採用，時至今日也一直保存在基督教的傳統中。

（楊英慈譯）

天堂路上瑣事多

聖德蘭(St. Therese of Lisieux,1873~1897)

天堂路上瑣事多

聖德蘭（1873～1897）

當代基督徒極為愛慕這位年輕的聖徒，稱她為「一朵小白花」，也在她短短的人間歲月中，比在浩繁的神學卷冊中找到更多的鼓舞。進入加爾默羅修會不到十年的時間，德蘭卒於二十四歲的荳蔻年華。其一生從未完成任何偉大的著作，從未提倡任何屬靈的奮興運動，從未成為廣為人知的演說家。唯一的作品在她過世之後才出版面世，是她簡短的生平日誌。生平雖不顯赫，在她過世的二十八年後，因著大家對她的追思是如此強烈，加爾默羅修會決定冊封她為聖者。透過她簡短的一生，何以能散發如許的吸引力？在其信息中蘊藏著什麼磁力，牽引、幫助了那麼多人與神同行？在她短瞬如流星、平靜如湖面的生命中，何以能對靈修歷史產生這麼深遠的影響？

一朵小白花

她原名馬丁德蘭（Marie Francois Therese Martin, 1873～1897），出生於法國的亞倫遜（Alencon），童年時遷居到里修（Lisieux），在九個孩子中排行老么。其中兩個哥哥和兩個姊姊於嬰兒期早夭。四歲又喪母，年幼的德蘭由父親及四位姊姊在拮据但仍算舒適的狀況下扶養長大。在四位姊姊相繼進入里修的加爾默羅修會的情況下，德蘭打從早歲時期，就因環境之便，被主耶穌及加爾默羅女修會的修道生活吸引著，十五歲時，即蒙允許加入修道院的行列。從外表看來，德蘭蒙召是為過一種缺乏冒險刺激的生活。實則她內裡的呼召，是為要過一種具有成聖品格的生活。在院長的授命之下，以順服的態度，並非公諸於世的思想，德蘭寫下了一本自傳體的古典靈修作品《一個靈魂的故事》（*The Story of a Soul*）。根據書中的記載，雖然她遭受了身體和心靈上的雙重痛苦，但她仍繼續奉獻委身，致力於屬靈生命的精進。德蘭認為她所扮演的角色是繼續以「微小的方式」，在簡單、瑣碎的事情上追求屬靈生活的長進。直到二十四歲走完天路。

以愛還愛

德蘭的靈修觀有一重要根基，就是「以愛還愛」。對

於「這世界經常忘恩負義，經常以漠不關心來回應主耶穌以全生命所傾注的憐憫與大愛」，她深感於心。德蘭下定決心以謙卑微小的方式，盡全力，以一己之愛還之於神的大愛，不僅是爲了她自己，也爲了那些對神的大愛剛硬冷酷、漠不關心、不理不睬的人。在 1895 年 6 月，她靜悄悄地將自己委身奉獻給基督的愛：

現在，我再也沒有其他希望了，唯一期待的，就是希望能愛主愛到顛狂的地步。……其他，我還有何所望呢？不是痛苦，也不是死亡，雖然這二者對我都有吸引力，但只有「主的愛」真正吸引我。（*Autobiography of a Saint*, 里修的德蘭著，Ronald Knox 譯，London: Collins/ Fount Paperbacks, 1987, p. 173.）

愛需要具體付出行動。當她寫信給里修加爾默羅修會的瑪莉亞院長（Mother Marie de Gonzague）時，德蘭寫道：

將慈悲寬厚禁閉於心靈深處，對你並沒有好處……慈悲寬厚不是一種存心的態度，慈悲為懷意味著要做一些事。（同上，pp. 209, 211）

受限於修道院禁錮的環境和德蘭的先天氣質，英雄式的奉獻是不可能發生在她身上的，所以她發展出一種較謙和卑躬的方式，來愛她的主。正如她向瑪莉亞院長所傾吐的：

很明顯地，對我而言，再也沒有更重要的事了。雖然我是如此微不足道，我仍盡可能地追求成聖。我已經能帶著我所有的缺點，將自己看得合乎中道。但我仍然要找到一些微小的方式，我自己的方式，成為直達天堂的捷徑。（同上，p. 194）

後來，在給姊姊瑪莉的一封信中，德蘭更清楚地說明了這個微小的方式：

但我要如何表達我的愛呢？愛需要以行動證明。嗯，這樣說吧，即便是一個小孩子都會「撒花」，使皇宮因著他的貢獻滿室馨香。……這將是我的生活。揮撒花朵——絕不錯過任何一個可以做一些微小犧牲的機會；這裡藉著一個微笑的注視，那裡藉著一句親切的話語，不斷地做一些微小的事，為愛的緣故做這些事。我將忍受一切必須忍受的——也享受一切可享受的——在屬靈的愛裡……並且，當我揮撒我（生命）的花朵，我將歡然歌詠；在愉快地揮撒之際，怎麼可能

憂愁沮喪呢？，即便將從荊棘叢中採摘揮撒的花朵，我也將
歡然歌詠。（同上，pp. 187～188）

展翼飛向主

　　毫無疑問地，她會經常失敗，更常常會被攪擾分心，
就如在禱告時，她常常會禱告到快睡著了。但無論如何，
每一次的分心大意並沒有帶來什麼損失，只是給她帶來又
一次回轉向神的機會，又一次可以重新開始，回轉歸向她
生命的中心——神。

　　就在她臨終前數星期，德蘭在她寫給瑪莉亞院長的筆
記中，具體而微地描繪了她屬靈生命的傾向。她寫道，聖
經只教導我們要愛鄰舍好像愛自己一樣，但耶穌的要求更
甚乎此，耶穌教導門徒的時候是要他們「彼此相愛，就像
我愛你們一樣」。耶穌的愛是透過自我犧牲的方式，甚至
到一個程度，爲那些祂所愛的人而死。她認爲，由此看
來：

完全的愛意味著：遮蓋他人的過失；在他人的軟弱上不以為
怪；即便在他人身上只找到極微小的優點，也要欣然鼓舞。
（同上，p. 209）

以如此具體的方式去彼此相愛，包含了：對言行舉止不合基督徒標準的人，不予批評論斷。甚至，她也很實際地知道，因著人類的墮落，在所處小小修道院的封閉環境中，要靠自己維持這種捨己的生活，實在是超乎她本然的能力。她很快學習到：

期待不藉著神的幫助而要對人有所助益，就像期待在深更半夜看到燦爛的陽光一般困難。（同上，p. 232）

但她也理解到，耶穌不會只給祂的跟隨者一條新命令，只要他們像祂愛人一樣去愛，卻不給他們能力去持守。德蘭想到的解決方式就是，將她自己置之度外，單單讓耶穌去愛該被愛的人，只是「透過她」讓耶穌去愛。

我逐漸了解到只有一件事是重要的：盡所有時間，更密切與主聯合，其他，無論所求的是什麼，「不用求」，都會加給我了。……每次，當我仁慈為懷的時候，就感覺到是耶穌在我裡面運行；我越是與祂密切聯合，我對眾姊妹一視同仁的愛就越大。（同上，p. 224）

德蘭了解到，聖潔的奧祕並不在於「與外面的世界」分離，而在於「與自我」分離，和自我本性所愛的、所不

愛的分離。以孩童的坦率之心，她直接來到問題的核心。
當她寫信給瑪莉姊姊說：

> 我們的主不要求偉大的成就，只要求自我棄絕與心存感激
> ……問題不在於祂要我們所做的是這件事或那件事，祂所求
> 於我們的是愛祂。（同上，pp. 180～181）

　　她所使用的禱告法是簡單的，在於維持屬靈生命的休
止狀態。並沒有使用禮拜手册或祈禱書，她抱怨那些東西
只會使她頭痛。就像孩子一樣，無論所遭遇的處境是愉悦
的或不愉悦的，她都會給神一個「激賞的呼號」。她重視
每天的聯合禱告，並不因為聯合禱告對親近神具有什麼重
要意義，而是因為衆姊妹熱誠的敬虔補償了她的冷淡。
（同上，pp. 228～229）

　　德蘭過著一種近乎全然克己的生活。祈禱和犧牲成了
神放在她手中一種「不可思議的武器」，經過時間的薰
陶，經驗一再的淬煉，她證明了祈禱和犧牲，較比任何她
所可以使用的行為或話語，能更確實地觸摸到人類的心
靈。當死亡臨近時，她特別因為賞識其聖潔的膽識，而以
抹大拉的馬利亞（參約二十 1～18，主復活的清晨，第一
位往看墳墓的婦人，第一位見到復活主的人，第一位向人
見證主已復活的人。）為她最喜歡的聖徒，如果不是出於

愛神者勇敢無畏的精神，實在會令人大吃一驚。在她臨終前最後一段尚未完成文字中，德蘭寫到她自己：

以信任和愛的羽翼，我正向祂飛去……。（同上，pp. 246～247）

微小卻神聖的瑣事

德蘭以「一朵小白花」聞名於世。其簡單易行的屬靈生活方式吸引了許多人。如此簡易的風格是絕對具現代精神的，卻也是現代的我們經常忽略的。因爲她的屬靈生活並不強調英雄式的行徑或超凡入聖的事蹟，而在乎做一些微小的事，甚至看起來是世俗的、瑣碎的、平凡的事。的確，德蘭步上聖潔之路的方式，是透過一些單調沈悶、沒沒無聞、卓然孤立的事情，其實，這些不也就是現代生活的特徵嗎？德蘭稱這些爲「微小的事」，事實上，並不如表象看起來的那麼簡單。

簡而言之，想要做一些德蘭所謂的「微小的事」，就必須：追求做卑微的事；欣然接受不恰當的批評；善待干擾傷害我們的人；幫助令人厭棄者。我們可能認爲這些行徑實在是微不足道、瑣碎無趣，也沒有什麼值得稱道的價值。但是對德蘭而言，這些「微小的瑣事」會比那些被認

為是「神聖的事」更討耶穌的喜悅。她教導了我們「瑣事」的價值，以及它在「事奉」上的意義。身體力行這些不為人所稱道的「瑣事」，也會幫助我們勝過自我中心的人性弱點。我們不會因為行了這些「瑣事」而得到什麼回饋，也可能連一聲「謝謝」都聽不到，在平常生活中也看不見有什麼得勝之處。但「做瑣事」確實是我們所需要的。

從終極的角度看來，就是這些微小的、簡單的，看來似是微不足道的瑣事，卻是我們步向天堂長途旅程中重要的事。

（楊英慈譯）

定睛凝神效法祂

傅高德(Charles de Foucauld,1858~1916)

25 定睛凝神效法祂

傅高德（1858～1916）

天父，將我自己，降服於祢，

任祢旨意，行在我身，

無論何作為，我心唯感恩，

無論何事物，我心已備妥。

唯願祢旨意，成於我裡面，

成於受造眾生靈。

除此以外，別無所求，喔，主。

將我靈魂，敬交祢手，

所有愛意，並我衷心，

因我愛祢，主

丞望獻上自己，

將我手，交祢手，毫無保留，

以無垠之信心，

因祢是我天父。

這一則廣爲流傳的委身禱詞，對許多人而言，這大概是他們對傅高德唯一的接觸。因這則禱告反映出福音書的信息，也能緊扣住福音書的核心，許多人因之得到許多挑戰。「超過十五小時之久，別無所視，唯獨注視祢，我主，唯獨告訴祢：我愛祢。」這是傅高德在旅居拿撒勒時所寫的靈程日記。在一般週間的日子，他可以跪著不動，定睛在祭壇上的十架，一直禱告，達七小時之久；若在主日，幾乎是整日如此禱告。因著他對所有鄰居的愛（即便是對最貧窮的人，亦不改其愛），印證了他的禱告確實是眞實無僞的。傅高德曾有數月之久，離教堂而索居，這段無比寶貴的時間，爲他鋪設了服事沙漠部落的道路。這位一代沙漠教父將自己埋身於撒哈拉沙漠，爲福音的緣故服事了圖歐雷格族的回教徒。（Tuareg，高加索人種，過著游牧民族的生活，對傳統習俗的重視勝過回教教義的信仰。）

背離與回轉

1858 年 9 月 15 日，傅高德出生於法國東部的斯特拉

斯堡（Strasbourg），爲富有的貴族家庭之後裔。六歲時成爲孤兒，和其妹妹一起爲祖父所養大。十五歲時，才領聖餐不滿一年，卻離開了基督，成爲不可知論者。他修業於 Ecole de Saint-Cyr 學校，也投入了軍旅生涯，成爲一位欣然快意的年輕軍官。他的部隊——第四騎兵團，於1880～1881 年相繼被差往阿爾及利亞，從事抗暴鎮壓的工作。非洲經驗使得傅高德意圖探察、研究該地區。接下來的一年，他果眞著手展開探索摩洛哥的旅行，細節載於其所著《摩洛哥勘察錄》（Reconnaissance au Maroc）一書。該書對於後來摩洛哥的地理知識助益良多，也爲他於 1885 年，獲取了巴黎地理協會的黃金勳章。

在巴黎伏案寫作期間，傅高德間或前往姨媽莫特絲爾（Moitessier）的家，因此結識了許多才高識廣、有教養的基督徒。這些際遇使他思想到，也許基督信仰是一條可信之道。他開始閱讀宗教書籍，到教堂中祈禱，也尋求神父的引導。1888 年 10 月末的一個早晨，侯立文神父（Huvelin）看出傅高德所需要的不是關於神的知識，而是認祂爲神，遂引導他認罪、悔改、領聖餐。好幾個月後，傅高德才了解到這次回轉有何等重大的影響。

不久，即意識到，他需把自己完全奉獻給神，成爲一個修道士。侯立文神父勸他暫緩。1888/9 年，他到耶路撒冷、伯大尼、拿撒勒作了一次聖地之旅，與許多不同修會

相處。他選擇成為熙篤會士，且認為他完成見習階段後，將可以成為敘利亞 Akbes 小修院的修士，熙篤會不以為然。他仍於 1890 年 1 月加入 Notre-des-Neiges 大修道院，成為見習修士。

如加冕般地效法基督的卑微

　　傅高德如期完成了他的見習階段，然而他看出：傳統的僧侶生活過於穩定，偏離了福音書「率直無飾地跟隨基督」教導的原貌，終於 1897 年離開該修會。在侯立文神父的勸告下，繼續在聖地居留了三年。主要在拿撒勒，間或至耶路撒冷。後來，他加入貧窮佳蘭會（Poor Clares，方濟會為女人所辦的修會）成為他們的司事總務。住在空無一物的花園茅屋中，看管會堂、分發修女們的信件，以及一些瑣碎的小差事。他在一封信的結尾，描繪了當時的情境：

　　給那善良的神越多，神給回的就越多；我深信，在離開世界時，我已給出了所有；在進入熙篤會時，所得超過所付出……。再一次，我深信，離開熙篤會時，我已給出我所有：我被充滿，充滿至無法測量……，穿著像個工人，操勞像個僕人，在貧窮中，我感到極大的喜樂，處在像主耶穌在拿撒勒所遭遇的一切，一樣卑微的景況中，彷如加冕般的殊

榮。（Rene Bazin, *Charles de Foucauld, Hermit and Explorer.* New York: Benzinger, 1923, p. 142.）

看起來，藉著分享基督在拿撒勒為人所知的貧窮之路，傅高德似乎找到效法基督的途徑。他想要絕對地、全盤移植地效法基督卑微的景況。

道成肉身的沙漠教父

三年後，他離開聖地，再次回到法國，且於 1901 年 6 月 9 日受任為神父。該年終，再次啓程前往阿爾及利亞，在沙漠的腹地，傅高德走完事奉的年日。他不僅過著隱居的生活，也試圖在撒哈拉沙漠建立修會。

除增加了所居之地圖歐雷格族的語言工作外，他在沙漠所過的生活和他在拿撒勒所過的非常雷同。傅高德完成了一部圖歐雷格族的字典，收集圖歐雷格族的詩，自己也以該語言作詩。所有圖歐雷格族人所關心的事，都成了他關心的事：家庭生活、農業、健康、衛生、教育、文化等。圖歐雷格族人都尊重他，因為他尊重他們和他們的文化。他不是以談論基督來傳講基督，而是以生活來呈現基督，以禱告來傳講基督。他曾說：「我是個修道士，而不是傳教士；存在的目的是靜默，而不是講論⋯⋯。」（同上，348 頁）迴異於福音派的觀點！傅高德早已用他的靜

默和形象，爲北非預備了歸向基督的道路。

直接傳福音，在這時刻是不可能的，唯有在拿撒勒那種生活才可能，在貧窮、卑微、屈辱、祈禱、或勞力或勞心，或二者兼具之，端視何者為需要，何者可行。（Quoted in Andrew Louth, *The Wilderness of God,* p. 13.）

對他而言，最有效的傳福音方式並不是談論神，而是持守自己在「神的同在」中，成爲傳達神眞實之愛的器皿。這精神也鼓舞了耶穌小弟兄會、耶穌小姐妹會的成立。這兩個修會的成員都是立志要「活出耶穌在拿撒勒所活出的生活型態」。這位佳蘭會弟兄死時證明，並不是他的傳道事工，也不是他對新修會的規畫有何偉大之處，而是在無形的生活中，早已結實纍纍。

愛神所愛：住在窮人中的小弟兄

1916 年，一直住在撒哈拉大沙漠的傅高德，終爲兇殘的阿拉伯人所謀殺。他的生命像一粒種子，來不及發芽苗壯，即已返回天家。死後不到二十年，相繼出現三個繼承其精神、目標和規條的團體，即耶穌小弟兄會、聖心小姐妹會和耶穌小姐妹會，他們在全世界，生活在許多少數群體中，以所倡導的「生活」代替「言語」的傳道，視名稱

中的「小」字為他們的珍寶。「小」字涵蓋了兩方面的意義：一則是，代表他們在禱告中對神全然的信賴；二則是，代表他們以敞開的友誼，熱誠住在窮人中的心志。傅高德對於基督徒生活應有的內容，有一明確的理想，認為，為了回應福音書所要求，要以全心去「愛」神的命令，我們應尋求全然「效法耶穌」。他堅信，他蒙召即是為要在愛與順服中效法基督。針對這個主旨，以及侯立文神父的勸告，傅高德由閱讀十架約翰的著作中，飽嚐了甜蜜的肥甘。他教導中的許多精髓，都是長久私淑十架約翰的結果。為了成為我們的羞辱和犧牲，主耶穌親自經歷了與「自己的戀慕與心願」分離，成了喜愛「神的戀慕與心願」。根據十架約翰的屬靈進程，唯有透過效法基督，才是唯一淨化感官的道路：

首先，要讓自己有習慣性的渴望，要在每一件所做的事上效法基督，讓自己的生活與基督的生活一致；在這些事情上，他必須透過默想，以便知道如何效法，如何能在所有的事上、按基督所會有的行止去行。其次，為了使自己能做好這些事，所有不能使主得到全然尊崇與榮耀的感官之愉悅，都應為耶穌基督之愛而放棄，完全拒絕。因在耶穌基督的生命中，除了他稱之為食糧的天父旨意之外，沒有其他渴望。
（John of the Cross, *The Ascent of Mount Carmel*, 1.13.3-4. Ka-

vanaugh and Podriguez translation）

　　十架約翰的這番見解，在傅高德關於效法基督的默想上，具有彌足珍貴的影響力。既已默想到這點，他接著就注意到；那麼，要如何達到這個目標呢？能與神的旨意聯合，是愛慕神的自然發展，因為愛的特質就是，會渴望與所愛的對象結合、相像。這種單純心志的委身需要超越單為一己，或為其他受造物的愛。這種以效法基督為愛的基礎和動機之信念，在傅高德的靈修觀中，盤根錯節地存在著，順服亦是另一屢屢可見的信念。

順服：最完美的一條蹬腳木

　　首次將效法、愛與順服的思想連結在一起，是出現在1887 年 1 月 24 日，他接受熙篤會最後一次順服試驗之後一天的一封信中。傅高德要求朋友耶柔米神父和他一起禱告：

　　我們可以一直停留在雅各所夢見愛的階梯上：在那階梯上，天使一直不斷上去又下來，永遠不稍止息地踩踏著階梯上的蹬腳木：愛慕、凝神、效法、狂迷、心思與意志合一、榮耀心所愛的、順服。順服是愛的階梯上最終、最高、最完美的一條蹬腳木，在那裡不再有自我，在那裡我們遭殲滅、死

亡,正如耶穌死在十字架上,在那裡我們將身體與靈魂一起交給那所愛的,不再有生命、意志,沒有獨立自主的運作,若能,也不過如同行屍一般……。所以,讓我們以全靈魂去順服,以全靈魂去愛吧!(Quoted in: Philip Hillyer, *Charles de foucauld,* Collegeville, Minnesota : The Liturgical Press, 1990, p. 67.)

真正效法基督所要做的第一件事就是:效法祂在每一時刻都順服於天父的旨意。然而,我們不像耶穌一樣擁有神旨意的第一手資料,這時屬靈引導者就成為居中的協調者。傅高德解釋道,屬靈引導者並非絕無錯謬之可能,我們仍應順服他。這意味著:屬靈引導者是全方位「效法基督」的嚮導。的確,按傅高德的見解看來,一個人不可能沒有屬靈引導者而能效法基督(同上,67頁)。

由實踐上看來,效法在順服之後;先順服,而後才有真正的效法。然而,在尋求這個主題時,傅高德沒有忘記「效法」的同時也應包含「定睛凝神」,因為耶穌自己也是不稍停息地定睛在神身上。若不定睛在神身上,就絲毫沒有可能效法基督。甚至可以說,效法和定睛凝神都是愛的一個層面:「從愛的剎那起,我們就開始效法和定睛了;效法和定睛必要地、自然地成為愛的一部分,因愛轉為連結,愛人者轉為蒙愛者,成為愛人者與蒙愛者的聯

合；效法就是連結，一個人與另一個人因相似而聯合；定睛凝神就是透過認知與洞察，一個人與另一個人連結......。」（Quoted in Hillyer, p. 68）

愛的三個女兒

因此，將這兩個主題放在一起，我們就可以說：

當他們被導向一個完美的存在、向那唯一完美的存在時，「愛」有三個不可分割的女兒，他們是：定睛凝神、效法、順服。這三個女兒是齊頭平等的，絕對必要地成為愛的伴侶和影響。因此也可以說他們是愛的母親。對每一個他們而言，他們同時是愛的肇因和產物：一個人越定睛於神，就越愛神；越效法神，就越愛神；越順服神，就越愛神。（Quoted in Hillyer, p. 68）

就某方面意義而言，定睛凝神在神身上是最主要的，因為唯有建立在認識和獲知的途徑上，我們才得以效法和順服，而唯有透過定睛凝神，才得以認識神。就另一方面而言，效法和順服應在定睛凝神之先；在效法和順服之中就會含括了定睛凝神。為要在順服與效法中建立我們，我們的主在完全的愛中建立我們，如同他在約翰福音五章 7 節所教導的，涵蓋了屬靈生活的整全基礎：

「⋯⋯常在我裡面（愛），我的話也常在你們裡面（順服），凡你們所願意的（禱告、定睛凝神）⋯⋯，你們多結果子（自己和鄰舍的成聖），我父就因此得榮耀（神的榮耀），你們也就是我的門徒了（效法）。」的確，福音書的信息由傅高德看來，由起初到末了都是一個「愛」字。「效法」是「愛」的兒女、姊妹和母親。讓我們效法耶穌，因為我們愛祂；讓我們效法耶穌，更多愛祂！讓我們效法耶穌，因為祂要求我們；順服就是愛⋯⋯，耶穌對門徒講的第一句話就是「你們來看！」意思就是「跟從我，注視我」，指的就是「效法和定睛凝神」；「跟從我」就是「效法我」。

（Quoted in Hillyer, p. 69）

唯一所求

效法和順服都包含了愛，因為耶穌的身教與言教都如此說明。也就是他們包含了彼此在其間。愛、效法和順服的對象都是耶穌，也都是無條件的。對傅高德而言，這是人類此生無法達到完美的境界，卻是仍當全力以赴的目標。耶穌是我們唯一的、完美的典範；唯一的「道路」、唯一的「真理」、唯一的「生命」。

綜觀其一生，傅高德畢生所求無非是在愛中向神做

開。如此在愛中向神敞開,是因他禱告默想的生命的滋
養,使他得以在愛中成長。正如傅高德一樣,我們也當如
此才得以成長,除此無他。正如傅高德的體會,無論一個
人看起來像在屬靈旅程的起點、中途或將近終點,只有一
個字,也永遠只有一個字,這個邀請的字,直接也間接促
使了我們的純淨和明白。就是這個字,是初入門者馬上能
心領神會的字,也是屬靈聖徒不能置之度外的字:「你們
來看,……來……跟從我!」

(楊英慈譯)

長夜中，無言的傳道者

摩敦(Thomas Merton, 1915~1968)

長夜中，無言的傳道者

摩敦（1915～1968）

262

摩敦最後幾本書之一的序言中，記載了一則猶太拉比所說的故事。

有兩位旅人，其中一人喝醉酒。他們走著走著，竟被強盜盯上，遭了一頓毒打，又被搶走所有的東西，包括身上的衣著。出了森林後，路人問他們：「你們在樹林裡，是不是遇見了什麼麻煩？」

「沒有啊，」酒醉的旅人回答：「一切都很好，什麼麻煩也沒碰到！」

路人忍不住又問：「那麼，你們為什麼沒有穿衣服，身上又沾滿血跡呢？」酒醉的旅人無法回答。

「不要相信他，他是個醉鬼。」清醒的旅人說：「我

們眞是倒大楣！遇到強盜，被無情的拳打腳踢一頓，又搶走我們所有的東西。進去這座森林要小心喔，別像我們一樣，當心財物，別被搶了！」

摩敦對這個故事的註解是：有些基督徒的信仰恰似於那個酒醉的旅人，顯而易見的事都可以搞得不分青紅皂白。這樣的信仰彷彿麻醉劑一般，使人對眞實世界裡的不義和暴行視而不見，甚至使人不由自主的隨波逐流，無法過分別爲聖的生活，不敢對世界勇於說不。

否定之路

摩敦（Thomas Merton, 1915～1968）幾乎是二十世紀最有名的修道士、多產作家，寫了八十本有關文學、社會、靈修學的自傳、詩集與評論小品。他的作品中展現出一種強烈的信仰肯像，這肯像流露出他內心的渴望，他渴望做比從眞實世界退隱更多的事。

摩敦於 1915 年在法國出生，雙親都是藝術家——父親來自紐西蘭，母親是美國人。他的童年大多在紐約、法國和英國度過，因此精通了數個國家的語言。在就讀紐約哥倫比亞大學的時候，已有許多的著述，但直到二十歲之後，才日漸顯露出他對宗教的興趣，旋於 1936 年 11 月接受洗禮成爲羅馬天主教徒。之後，在面對前途考量時，經

過許多內心的掙扎，摩敦終於在 1941 年 12 月，成爲蓋司馬尼聖母修道會崔庇司德派（Trappist Abbey of Our Lady of Gesthemani）的修士。崔庇司德是天主教西篤修會（Cistercian）中，最嚴格的支派之一。

十一世紀時，許多改革修道方式的修道院紛然成立，西篤修道院即於改革浪潮最盛的 1098 年，創立於法國的錫托（Citeaux）。它延續早期聖本篤修會的基本宗旨，致力於沈思默禱，並且不太允許個別的修道者與世界有過多的互動。他們長期禁食而絕少睡眠，一天的作息開始於凌晨兩點，多用於艱苦的勞動服務、終日無言的沈思默想和祈禱。他們的目標是在與神的默禱之中，更多擺脫從自我而來的轄制。因他們認爲浩大的神是渺小的人所「無法」直接認識的，故常用「否定」的方式來描述神，如：神是「無」所「不」在、「無」所「不」知的，即初期教會所謂的「否定之路」（vis negation）。也因摩西尚且只得見神的背，卻「不」得見神的面（出三十三 23），故認爲人既「不」得見神，就只得透過「默想」來認識神，這也是他們的生活方式的思想基礎。

世界應有的樣式

摩敦在蓋司馬尼修道院待了將近四分之一世紀，目睹了教會和世界的許多改變。教會方面，第二次梵諦岡大公

會議一反以往譴責異端、闡釋教義的慣例，對教會在現代
世界的意義，做了極有建設性的省察與決策，它在教會界
所引起的改革風氣，至今仍是餘波蕩漾。就較廣的層面而
言，這世界目睹了原子彈爆炸的威力，直到今日都活在它
的陰影下。更甚者，美國的民權運動因受到馬丁路德·金
的領導，而更如火燎原地展開。同樣在美國，越戰的結束
加速了反傳統文化浪潮的興起，且向周邊陸塊日漸蔓延。

　　這些時代的巨變都會對個別的生命產生影響，摩敦的
生命就是在這影響之下的鮮活例證。他進入修道院之後，
原是一位很典型的修士。但在五○年代期間，摩敦的眼睛
漸漸開了，由自身的反省漸漸看清了普遍人性的眞面目，
以及他與全人類的共同命運。從那之後，他無法再忽視這
個世界。對摩敦而言，默想的目標就是揭露世界中那些虛
假的幻覺、假象，那些阻礙了解個別的眞實自我和阻礙了
解世界終極目標的幻覺、假象。因爲那些幻覺、假象，阻
礙了個體與整體世界成爲神創造時完好如初的樣式。

　　摩敦在早年時期熱中於閱讀艾哈特（Meister Eckhart,
1260～1328）、十架約翰（John of the Cross,
1542～1591），以及亞威拉的泰瑞莎（Tersa of Avila,
1515～1582）的作品。艾哈特爲德國道明會神學家和作
家，也被公認爲德國神祕主義的始祖，認爲最高形式的神
祕經驗爲「與主結合」；十架約翰爲西班牙玄祕神學家兼

詩人，著有《心靈暗夜》等詩篇；亞威拉的泰瑞莎為西班牙宗教改革家和精神體驗作家，《七寶樓臺》是記錄她精神體驗的作品。摩敦後來因著個人屬靈經歷的轉變，他更喜愛有過許多屬靈玄祕經歷的英國神學家諾威治的朱麗安（Julian of Norwich, 1342～1416）。

在六〇年代，摩敦對亞洲宗教產生了興趣，且開始研究基督教默想與佛教冥想的關係。因為熱絡於屬靈經驗的探索，也導致他對禪宗、喇嘛教都略有涉略。可惜終於在1968年，一次電的意外事件中，悲劇性的亡於泰國曼谷。

就像奧古斯丁的《懺悔錄》，摩敦也在他出版於1948年10月的精神體驗傳記《七重山》（*Seven Story Mountain*）中，詳細敘述了他的生命歷程。這本書一出版就造成「洛陽紙貴」的現象，成為出版界的珍品。第一版六十萬冊的布面精裝本一上市旋即告罄，曾經在一天之內，光是新書的訂單就接了五千本。

獨處與靜默中的洞察

在九〇年代末期的台灣生活與寫作，實在很難對將來看出什麼遠景、理想。犯罪事件的猖獗、政治的貪瀆、環境的污染，以及不斷傳來中共即將武力犯台的恐嚇，都會對個人與社會造成某種程度惶惶不安的心境。儘管民主政治正在大步前行，許多人對民族文化「生命共同體」的認

同感也愈益敏銳，但仍有許多人正打算棄船而逃。對整個時代、環境的動盪不安，有些人的直接反應是棄甲曳兵、移居海外，意圖尋找更豐美的牧草、更理想的夢土。有些人已經離開了，有些人則正在準備中。一般而言，我們對過去的風風雨雨已感到無以招架，面對前路的展望，更覺天地悠悠，不知何去何從。

在尋覓前路之際，我們實在需要找出具先知性眼光的安身立命之道。除非我們洞察到這個社會的病徵，並且構思現在得以安身立命的憑藉，否則任何高瞻遠矚的異象都沒有意義。然而，無論是針對現在的洞察，還是針對將來的異象，都無可避免的需要一種能力，一種讓自我從傳統偏見與樣版思想中，悠然釋出的能力。而這些傳統偏見與樣版思想，是我們與其他生命共同體一起繼承於無形之中，實在不容易察覺它是可以釋放的生命纏累。摩敦相信，獨處與靜默可以在這方面扮演重要的角色。

例如，有一次，摩敦在肯塔基州路易斯維爾市（Louisville, Kentucky）的商業中心，經歷到一次特別的屬靈經驗。「就在第四街和核桃街的拐角處，商業區的核心地帶，我突然被一種頓悟所淹沒，我突然頓悟到，『我愛所有的人，他們是屬於我的人，我也是屬於他們的人。』即便彼此都是陌生的，但我們不再視對方為外人。這個頓悟使我彷彿從一個與世隔離的夢境中轉醒過來，一個孤芳自

賞、自以爲卓然成聖的夢境。我突然能清醒地看出，那個遺世獨立的假象，其實只是個夢境。」儘管那個分離的假象依然存在，但摩敦幾乎是經常性的、每一天、不分朝夕都能看見、體會到神對每一個人的愛，以及每一個個人與整體人類是那麼密切的休戚與共。後來，摩敦反省到這個頓悟的經驗和他獨處默想的經驗之間的關係，因而意識到：就是這些默想與獨處，才使他得以經歷到這種清醒的頓悟。他補充說，如果我們「只埋首於神以外的事物，專注於事物的假象，不知不覺間與環境隨波逐流。」那麼，我們就不可能擁有那種屬靈頓悟的經驗。

摩敦相信，是他獨處與靜默的操練，使他能獲致這個特殊的屬靈經驗。這個信念爲我們指出一條路，就是當我們尋求屬靈經驗的時候，也將同時獲得與社會環境抗衡的能力。很明顯的，這並不是意味著當我們操練獨處與靜默時，我們就會得到屬靈的異象。摩敦所相信的是，在獨處與靜默之中能培養出先知性的洞察力，這洞察力賦予人能做出正確判斷、有能按神心意而行的能力。這關鍵在於摩敦所主張的「靜默可以勝過虛幻的假象」，以及「獨處使人克服不自覺的隨波逐流」。他提醒我們，將默想的焦點集中在神身上，可以幫助我們的心思意念超越障礙，超越整個社會環境的假象所加諸於人的障礙。在獨處與靜默中認識神，使人得以抽離從社會環境的限制與扭曲而來的捆

綁。這種抽離至終將允許他自己與所抽離的社會環境有關係上的轉變，由責難的對立關係轉變爲親密的互屬關係。

以「出世」情操從事「入世」關懷

我們生活在一個文字氾濫的文化圈。這種文化圈有一種傾向，就是相信「精確的理解」有賴於「更多的字彙」。特別是，台灣教會裡的基要主義者更是有這種次文化傾向。這種次文化被文字和文字所計畫、經營的活動所支配。對文字如此的執著肇因於我們對文字的信念，我們以爲藉著文字可以駕馭控制我們的實體。我們以爲藉著文字及它所表達的思想，可以對世界發表我們的見解、投射我們的理想，甚至，藉著文字也讓世界向我們揭露它的多重面貌。我們實在應該了解：對事物的深入了解不僅有賴於文字，更在於默想。

大部分的福音主義者、教會的教導、文宣資料，都有一種「一面倒」和不敏銳的傾向，對那些我們企圖傳達訊息的對象，我們沒有敏銳的關注到他們的內在世界。通常是我們沒有好好理解我們處境中的文化氣氛、習慣用語和思維方式，因此我們的言詞空洞乏味。放下自己的才智，先好好的默想是有其必要的，特別在我們正尋求一種正確的判斷，或自覺不夠了解神的心意時，實在需要藉著默想進入處境的核心，在默想中得以看清處境的眞實面貌。我

們需要透過靜默，學習說合宜的話；透過獨處，找到個人在不同處境中的因應之道。

摩敦曾經這樣描述他一生的職志：

長夜是我無垠的牧區，靜默是我衷心的事奉。
貧窮是我慷慨的施捨，無助是我無言的證道。
遠在眼目不可見、聲音傳不到的四面八方，
都是我日夜巡行的領空，
企望在所料不及的際遇中，為世界找到它的珍寶。
浪跡於孤獨國的邊境，我們都是善聽的旅人，
用心聆聽不可言傳的天籟，
專心等待遠處即將傳來的、
基督得勝凱歌中的第一記鼓響，
我彷彿駐立在世界邊境，殷勤守望的哨兵。

這就是摩敦的異象，作為修道士的領袖，他如此來服事這個世界。透過靜默，以聆聽和垂詢，謙卑且勇敢地將自己展現在世界的舞臺，也展現在世界的死角。摩敦相信，在靜默與獨處的熔爐中，現代生活中的浮華矯情將得著煉淨。一個不存假象面對神的人，自然可以看的比別人清楚。進一步說，摩敦相信先知洞察所帶出的能力，實在遠勝於實踐者所帶出的能力，而先知洞察需要神祕經驗、

沈思默想，以及經常的禱告，作爲他背後的支援。

摩敦在靈修神學上的主張對我們應不陌生，而且理應被接受。他也的確是以「出世」情操從事「入世」關懷的極佳典範。在「致力實踐篤行」與「執守沈思默想」的性格張力之間，在「對神，忠誠專注」與「對人，民胞物與」的情感張力之間，摩敦悠游其間、適任自得。

在《無人像座孤島》（*No Man is an Island*）這本書中，摩敦將他有關默想、獨處的見解，用音樂來作比方：「音樂之所以悅耳，不僅僅因爲裏面有聲音，沒有音符與休止符的相互間隔，就沒有節奏旋律可言。」他說，在我們的事奉與屬靈生命上也是如此：「如果沒有靜默，神就無法聽出我們生命的樂章。如果沒有休息，神就無法插手祝福我們的工作。如果我們絞盡心血的，要以活動與經驗填滿每一個生命的空間，神就會悄然退出我們的心房，任憑我們的生命空洞貧血。」（本文刊載於曠野雜誌書「跨世紀小百科」之一，《心靈重建》專輯。楊英慈譯）

尋找一條回家的路

盧雲(Henri J. Nouwen,1932~1996)

27 尋找一條回家的路

盧雲（1932～1996）

同時在天主教和基督教作家、講員的領域中廣為人知者，除盧雲外，無出其右。許多福音派基督徒也在這位天主教神父身上，獲得屬靈的引導。盧雲著作逾三十本，有多國譯文，近七、八年來，在華人信徒中尤備受讚譽。在其字裡行間，處處可見由生活體會所獲致的靈感，處處流露：神無條件的愛及神對「每一個人」的接納。他的靈思激發讀者更深邃地禱告，花更多時間傾聽神的聲音，因此也幫助了無以數計的人，在基督裡生根、茁壯。

盧雲相信「我們每個人都全然為神所愛」，但又無法全然相信「他自己亦為神所愛」，無法相信他已真正在神的家中。這個困擾形成他生命中，交錯纏繞、無與倫比的

「恩賜」與「掙扎」。長期以來，盧雲一直掙扎於他個人混亂的感情生活、內心的不安與害怕；也就是這樣貼近人類心靈的掙扎，形成他對普羅大眾的深入了解與同情。唯其在文字中所活現的盧雲是如此透明、脆弱，因此他吸引、幫助了許多軟弱的人。若說盧雲著作的基調是自傳體的，是一點也不為過。因為要深刻地分享他所關注的「愛」與「家」的信息，也是他存之以「相信」，又抱之以「無法相信」的信息。因此，他以不同的方式、不同的媒介（羅馬城的小丑、林布蘭的「浪子回頭」名畫……），一再寫同樣的信息，好像他的生命一直在「乍然瞥見」與「恍然若失」之間游移。他一直在尋找新的意象表達他的關注，如：擘餅與分享、空寂的教堂、張開的雙手、扮小丑、馬戲團、鏡子、跳舞和歸家。

　　1996 年，盧雲真的歸家了。有人譽他為本世紀最重要的靈修作家之一。然而，盧雲到底是何方神聖？他那貼近人類生命的靈修觀內容為何？讓我們細說從頭。

由「哈佛」步向「黎明」

　　1932 年 1 月 24 日，盧雲出生於荷蘭的 Nijkerk。經過聖職人員養成訓練，於 1957 年按立為神父。又於 Nijmegen 研習心理學。稍後又於美國堪薩斯州的曼寧哲（Menninger）診療中心專攻宗教、心理學、精神病學。1966 年起，

275

有兩年的時間接受聖母院大學（Notre Dame University）的邀請，教導心理學。他很喜愛在那裡的教導。「但是，內心深處很快明白：心理學並不是我的禾場，我有一種很深的渴望，要傳講和神有關的事，要傳講聖經。感受到，如果我留在這裡，應該從事神學工作。」（Arthur Boers, "What Henri Nouwen Found At Daybreak," *Christianity Today*, Vol 38, No. 11 [Oct. 3, 1994], p. 30）

　　1968 年，盧雲回到祖國荷蘭，在阿姆斯特丹的教牧研究中心及 UTRECHT 的神學院任教。1970～1971 年間，他又回到 Nijmegen 研究神學，且獲頒博士學位。1972 年展開了他的亞美利堅時期，擔任耶魯大學神學院教牧神學的教授。盧雲在這段時期的成就是有目共睹的，但他卻感覺到內心少了什麼似的。他喜歡耶魯，但又感覺那不是他蒙召事奉的所在。從事神學教育並不保證屬靈生命的進深。「我感覺需要其他東西，因為我的屬靈生命並不深刻。我不過是個脆弱的人，也了解自己在基督裡的根扎得不夠深。我需要一些更基礎的東西。」（同上，30 頁）

　　之後，又寫道，透過在基督的話語上一再地反省，他終於明白基督所說：「在前的將要在後，在後的將要在前」這句話的意義。盧雲開始害怕，唯恐越發身列「事業有成」的行伍，越發失去自己所渴望的「愛」。後來，他到哈佛大學任教，內心的掙扎仍持續不斷。「裡面似乎有

東西在告訴我，越是成功，越是置我的靈魂於危險之
境。」顯然哈佛經驗給盧雲的印象並不好，「那是我所到
過最艱困的地方之一。這是個鬥智昂揚的學府，有時甚至
有點高傲自大。身在其中，不知道要如何深化我的靈魂，
不知道身在其中究竟要如何親近耶穌。」（同上，p.31）

　　在一次與「方舟」（法文為 L'Arche）的創建者范尼雲
（Jean Vanier）的會面之後，情況有了轉機。1984 年，盧
雲來到法國車斯里（Trosly）的方舟團體，住了九個月。
方舟是個事工遍及世界各地的團體，在那裡，心智障礙者
得以按福音教義與他們的協助者住在一起。許多方舟中的
人，都是為社會所唾棄、被拒之於世界外的人。但方舟接
納了這些障礙者和協助者，提醒了所有人：神在我們的破
碎之處愛我們。1985 年，盧雲終於離開了學術領域。自
1986 年，直到 1996 年歸回天家，他一直擔任方舟位於加
拿大多倫多北郊「黎明之家」的司鐸。這個職業生涯的轉
變，令許多人大吃一驚。這個才華橫溢的作家，長春藤聯
盟的學術工作者，竟從掌聲頻起的世界舞臺退下！對這段
由「哈佛」步向「黎明」的心路，盧雲寫道，他是由「卓
越、璀璨的機構」，步向社會中「常受鄙視的人群」。這
個戲劇性的轉變，成為廣為讀者喜愛的靈修作品《黎明路
上》的主題（*The Road to Daybreak*，香港：基道，
1995）。

正如黎明之家的弱智人士對盧雲的喜愛，盧雲對黎明之家也逐漸生發出一種愛，和其中他所負責照顧的亞當之間，更是發展出深邃的友誼（Adam, 1961～1996，終其一生未曾說過一言半語）。亞當教導盧雲：慢著點（短暫的！），心在焉、人在焉，以及相信愛的增長不需言語。差不多每次應邀外出演講，盧雲都會帶一位方舟團體的成員一起去。他常解釋道：「我不再僅僅是盧雲。」方舟和盧雲是密不可分的，想要了解他，就必須了解方舟。他曾告訴一位訪問者說：

方舟的存在，並不是要幫助弱智人士者「獲得正常的生活」，而是為了幫助他們向這個世界「分享屬靈的恩賜」。這些靈裡貧窮的人使我們得以回轉。這些弱智者，在貧窮中向我們啟示了神，引導我們更貼近福音書的教義。（同上，29頁）

1995年，黎明之家給了盧雲一年的安息年，作為寫作之用。其間，他寫了五本書，其中的《安息之旅》（*Sabbatical Journey*）就是描述這一年的景況。安息年結束後的第三個禮拜，在轉道前往俄羅斯接受電視台有關林布蘭名畫「浪子回頭」的訪問時，於荷蘭心臟病突發，經送醫旋即康復，以為並無大礙。孰料，不到一星期，還沒出院，

就在 1996 年 9 月 21 日星期六凌晨，再次心臟病突發，不治身亡。享年六十四歲。

接下來，讓我們將注意力轉到盧雲的靈修神學。

獨處與靜默

盧雲的靈修觀，大多可從他自傳體或傳記體的作品中一瞥端倪，因其中所載多爲他心靈對神的體驗。盧雲是個跟隨心靈腳蹤的人。因此他的作品自有一種聲氣相通的親密感與眞實性。

盧雲是獨處與靜默的大力支持者。許多早期著作中，都可見盧雲對讀者的殷殷勸導，要以靜默爲屬靈生命的活力來源。而獨處是指「與神相處」，單「獨」與神相「處」。在《心靈之路》（The Way of the Heart）中，盧雲說明「靜默可保守我們免爲世界所窒息，教導我們講說屬神的話語。」（p. 75）換言之，他所體會到的是：在我們心中，這世界的雜音會妨礙我們步向神的話語。又指出，他所謂的獨處並不意味著要使人與世界脫離，而是鼓勵人要在世界中成長。他論道：「活出基督徒的生命，是意味著活在世界而不屬乎這世界；就是需要在獨處中，這種內在的自由才得以成長。」（Out of Solitude, 1974, p, 21，香港：基道，《始於寧謐處》，1991）盧雲警告我們，不要浪費在一些當務之急和待辦事項中，要試著傾聽

神在我們心中的聲音。在獨處和靜默中，我們可以得知那已啓示在我們心中的奧祕之事，而不致讓心思爲「叨絮的言語」所分散（*The Way of the Heart*, p. 31）。

獨處和靜默之所以重要，在於那是傾聽「那位」神聲音的所在，就是稱我們爲「蒙愛的」那位。對盧雲而言，禱告就是傾聽「那位」呼喚我們：「我的愛女」、「我的愛子」、「我所愛的孩子」。「禱告就是讓那聲音向你生命的中心、向你的肝腸肺腑說話，讓那聲音在你的全人迴響。」（" Moving from Solitude to Community to Ministry", *Leadership,* Spring, 1995, p. 82.）盧雲極愛林布蘭的名畫「浪子回頭」，經常直接或間接在作品中提及。在畫中，父親溫柔地抱住衣衫襤褸的孩子，觸動神兒女的心，好像他在對每一個兒子、女兒說：「你是我所愛的」。知道我們蒙神所愛，且謹記在心是一件重要的事。盧雲提醒我們，無論在「面對極大的成功，或面對極大的失敗時都一樣，不要失去對自我的肯定，因爲我們的身分是：蒙神所愛的。」（同上，82頁）

盧雲寫得極妙：

在獨處中會發現：我們的重要性並不在於「我們做了什麼」，乃在於「我們領受了什麼」；我們並不是自己判斷的結果，乃是由神的愛所生。在獨處中，我們得到神得以向我

們啟示祂自己的空間,因著祂的至愛,祂創造了我們,又重塑了我們。在獨處中,我們發現:唯其因為神為我們做了某些事,我們才能為他人做某些事;唯其因為我們先被愛,我們才能去愛;唯其因為我們已得釋放,我們才能為他人帶來自由;唯其因為我們先被給,我們才能去給。在獨處中,我們會發現我們蒙召不是為要忙碌,或一頭栽入,不是為要滿腦子意見或論斷。蒙召的首要之務是:要有一個內在的空間,在這個內在的空洞中,神可以進入、可以教導我們:我們真正是誰。("Spirituality and the Family", *Weavings*, Vol. 3, p. 6.)

毫無疑問地,對盧雲而言,靜默和獨處是我們屬靈生命的核心。如果沒有靜默和獨處,就絕對不可能過一個屬靈的生活。

團體生活

在盧雲的靈修神學中,另一個重要的主題是團體生活(Community)。獨處和團體生活是息息相關的。團體生活是讓我們「得以在人群中創造一種自由、敞開的空間,在那裡我們可以一起操練真實的順服。」團體生活也可以「在害怕和孤單的特殊景況中,將我們由彼此倚靠之中,帶往聆聽神釋放的聲音。」(*Making All Things New*, pp.

281

80～81）對盧雲而言，團體生活並不需要一個組織，它代表一種生活方式。在這個團體中，成員得以宣告「我們是神所愛的兒女」！

團體生活只需要一點點共同之處。教育背景、心理狀況、社會地位，都有可能把我們聚集在一起，但這些卻不能構成團體生活的基礎。團體生活是以神為根基，是神的恩賜。對盧雲而言，團體生活的奧祕，「恰在於它包含了所有的人，無論其個別性的差異如何，都可以像基督的兄弟姊妹、像天父的兒女一樣，生活在一起。」（同上，83頁）

團體生活主要在乎其存心，且超越時間和空間的限制，因此，並不需要「身體」住在一起，才叫團體生活。盧雲主張，「我們大可以『身體獨居』，而過團體生活。在這種情況下，即便時空將彼此隔絕了，我們仍可以自由行動、誠實說話，也可以忍耐痛苦，因為那親密的愛將我們與他人凝結在一起。」（同上，88頁）因此，團體生活的操練使得無論聖靈帶我們何往，我們都得以自由，即便到我們不願意去的地方。對盧雲而言，這是個真實的五旬節經驗。當聖靈降臨到門徒身上，他們就被差往世界各地。因此，可以說是神的靈在團體生活中凝聚我們。

事奉

「事奉」這主題在盧雲個人的反省或著作中，佔了極大的部分。對盧雲而言，事奉不是做了什麼事，而是一種關係。「事奉是，必須信賴某些東西。如果你知道你是蒙愛的，經常原諒那些和你有團體生活的人，且讚揚其恩賜，那麼你就是在事奉了。」（"Moving from Solitude to Community to Ministry", p. 85）因此，事奉就是「相信你是神的兒女」，而且當我們事奉時，會有能力由我們而出，會有人蒙服事。

盧雲認為我們事奉的存心應是「悲憐」。要事奉，你就需要去到傷痛的所在。因為悲憐是事奉的基本要素。在《悲憐》一書中，莫里森（McNeil, Morrison）和盧雲共同闡明了「悲憐」在基督徒生活中的意義。

「悲憐」（Compassion）這個字是由兩個拉丁文 *pati* 和 *cum* 所衍生出來的，這兩個字放在一起的意思就是「與……同受苦」。「悲憐」要求我們去到受傷之處，進入痛苦的所在，在破碎、害怕、迷惘和苦惱之中彼此分享。「悲憐」挑戰我們與悲傷者同哀嚎，與孤單者同嘆息，與哀哭者同流淚。「悲憐」需要與軟弱者同感軟弱，與受責難者同受責難，與無能者，同為無能。（*Compassion: A Reflection on the Chris tian Life*, p. 4）

眞正的事奉應該要去到貧窮之處、孤單之處、痛苦之處，懷抱勇氣去和貧窮者、孤單者、受苦者同處。所有的事奉都應建基於這樣的異象。要以幫助受苦者爲事奉的一部分，需要先成爲弱者的朋友。盧雲了解到，把隔絕孤立的人從個人痛苦中引導出來，是一件重要的事，應該允許這痛苦成爲群體共同的經驗。因爲隔絕孤立只會延長、加劇受苦的過程。因此，與其讓受苦者單獨忍受痛苦，不如按照盧雲所說，在軟弱中同享友誼，陪他走過。

在《援手》（*Reaching Out*）一書中，盧雲以「在痛苦中休戚與共」來表達人與人之間可能存在的關係模式。在《負傷的治療者》（*The Wounded Healer*）中，他更詳細敘述，「在痛苦中休戚與共」對一位事奉者的意義。如果這位事奉者需要承擔屬靈領導的教牧責任，就當了解這世界中各種的苦楚；了解身處的時代的當下之苦；了解個別的爲人之苦；了解事奉者的苦楚。不知道這些人間百態的苦楚，就無法成爲眞正的事奉者。對盧雲而言，「了解」意味著整體性的參與其中，而不只是知識性的理解。讓人在哪裡有軟弱，就可以在哪裡找到神，正如盧雲一向所宣稱的「神的道路就是軟弱之路」（*Lifesigns: Intimacy, Fecundity, and Ecstasy in Christian Perspective,* p. 66）因

此，一位能真實觸及受苦者心靈深處的、有果效的事奉者，對軟弱必有相當的體會，對其他人的厭惡痛楚也能感同身受。

結論

概覽盧雲的靈修觀，有許多我們可以採擷靈思之處。

台灣教會飽受「成功」之害，成了短視近利者——因著文化、神學的影響，經營教會像經營企業一樣——只求成功。盧雲的神學觀和緩地提醒了我們：當今台灣教會的問題不在於「我們帶了多少人信耶穌」，也不在於「我們教會有多少會友」，而在於「我們的生活有多忠於耶穌」。在一次浸信會牧者退休會的分享中，盧雲說道：

「事奉」是一件最不重要的事。當你在與神交通時，過團體生活時，其實就已經是一種事奉。許多人總是關心「我要怎麼幫助別人？」「要怎麼幫助年輕人認識基督？」「怎樣把道講得更好？」但這些都不是根本的問題。如果你心中燃燒著基督的愛，不要為以上問題焦慮，每個人都會知道你心中的火熱。他們會說：「我要更接近這位如此充滿神的人！」（"What Henri Nouwen Found at Daybreak", p. 28）

這段話正是盧雲自己的最佳寫照，也是個預言性的提

醒。他自己也試著經常活出所教、所寫的理想。儘管他向來坦白承認所有的失敗、掙扎，仍然尋求活在與神分享、活在團體中。

　　盧雲承擔了許多風險：分享個人隱私的風險；在悲憐中跨出獨處的風險，爲要提供給我們，他對禱告與生活整合的結果。因著盧雲的透明敞開、多有軟弱，以及慷慨地分享，令我們知悉：即使是長期處於掙扎、顛躓中的靈魂，如盧雲，仍可以找到回家的路；而許多和他接觸的人也都因他的坦白，得以在基督裡更深地扎根。相信，回家不是一件太難的事。（本文刊載於曠野雜誌書「跨世紀小百科」之十四，《媒體大戰》專輯。楊英慈譯）

參考書目

一、一般歷史與背景

Brooks, Peter. ed. *Christian Spirituality: Essays in Honour of Gordon Rupp.* London: SCM Press Ltd., 1975.

Bouyer, Louis B., and others. *History of Christian Spirituality.* 3 vols. New York: The Seabury Press, 1982.

Callahan, Annice. *Spiritual Guides for Today.* London: Darton, Longman and Todd, 1992.

Cunningham, Lawrence S. And Egan, Keith J. *Christian Spirituality: Themes from the Tradition.* New York: Paulist Press, 1996.

Dicharry, Warren. *To Live the Word, Inspired and Incarnate: An Integral Biblical Spirituality.* New York: Alba House, 1985.

Dupre, Louis and Saliers Don E. ed. *Christian Spirituality: Post-Reformation and Modern.* New York: The Crossroad Publishing Company, 1989.

Flew, Newton. *The Idea of Perfection in Christian Theology.* Oxford: The Clarendon Press, 1934.

Graef, Hilda. *The Light and the Rainbow: A Study in Christin Spirituality From Its Roots in the Old Testament and Its Development Through the New Testament and The Fathers to Recent Times.* Westminster, MD: The Newman Press, 1959.

____. *The Story of Mysticism.* London: Peter Davies, 1965.

____. *The Way of the Mystics.* Cork: The Mercier Press,Ltd., 1948.

____. *Mystics of Our Time.* London: Burns & Oates., 1961.

Hanson, Bradley C. ed. *Modern Christian Spirituality: Methodological and Histori-*

cal Essays. Atlanta, Georgia: Scholar Press, 1990.

Holmes, Urban T. *A History of Christian Spirituality*. New York: The Seabury Press, 1980.

Holt, Bradley P. *Thirsty for God: A Brief History of Christian Spirituality*. Minneapolis: Augsburg, 1993.

Jones, C., Wainwright, G., and Yarnold, E., ed. *The Study of Spirituality*. New York: Oxford University Press, 1986.

Leech, Kenneth, *True Prayer: An Invitation to Christian Spirituality*. San Francisco: Harper & Row, Publishers, 1980.

_____. *Experiencing God: Theology as Spirituality*. San Franciso: Harper & Row, Publishers, 1985.

McGinn. B. and Meyendorff. J., ed. *Christian Spirituality I: Origins to the Twelfth Century*. New York: Crossroad Publishing Company, 1985.

Raitt, Jill. ed. *Christian Spirituality: High Middle Ages and Reformation*. New York: The Crossroad Publishing Company, 1988.

Sager. Allan H. *Gospel-Centred Spirituality*. Minneapolis: Augsburg, 1990.

Wakefield, Gordon S., ed. *A Dictionary of Christian Spirituality*. London: SCM Press, 1983.

Williams, Rowan. *Christian Spirituality: A Theological History from the New Testament to Luther and St. John of the Cross*. Atlanta: John Knox Press, 1979.

二、初代教會

Bondi, Roberta C. *To Pray and to Love: Conversations on Prayer with the Early Church*. Minneapolis: Fortress Press, 1991.

Burnaby, John. *Amor Die: A Study of the Religion of St. Augustine*. Norwich: The Canterbury Press, 1938.

Miles, Margaret R. *Fullness of Life: Historical Foundations for a New Asceticism.* Philadelphia: The Westminster Press, 1981.

三、修院制度

Anson, Peter F. *The Call of the Desert: The Solitary Life in the Christian Church.* London: SPCK, 1964.

Binns. John. *Ascetics and Ambassadors of Christ: The Monasteries of Palestine, 314-631.* Oxford: Clarendon Press, 1994.

Bratton, Susn Power, *Christianity, Wilderness, and Wildlife: The Original Desert Solitaire.* Scranton: University of Scranton Press, 1993.

Lacarriere, Jacques. Translated by Roy Monkcom. *The God-Possessed.* London: George Allen & Unwin Ltd., 1963.

Leclercq, Jean. *The Love of Learning and the Desire for God: A Study of Monastic Culture.* New York: Fordham University Press, 1961.

Rousseau, Philip. *Ascetics, Authority, and the Church.* Oxford: Oxford University Press, 1978.

Williams, George H. *Wilderness and Paradise in Christian Thought, The Biblical Experience of the Desert in the History of Christianity & the Paradise Theme in the Theological Idea of the University.* New York: Harper & Brothers, Publishers, 1962.

四、英國靈修學

Jeffrey, David Lyle. ed. *The Law of Love: English Spirituality in the Age of Wyclif.* Grand Rapids, Michigan: William B. Eerdmans Publishing Company, 1988.

五、天主教的改革

Burrows, Ruth. *Interior Castle Explored: St. Teresa's Teaching on the Life of Deep Union with God*. London: Sheed and Ward, 1981.

____. *Ascent to Love: The Spiritual Teaching of St. John of the Cross*. London: Darton, Longman and Todd, 1987.

Görres Ida Friederike. *The Hidden Face, A Study of St Thérèse of Lisieux*. London: Burns & Oates, 1959.

Muto, Susan. *John of the Cross for Today: The Ascent*. Notre Dame, Indiana: Ave Maria Press, 1991.

Urs von Balthasar, Hans. *Thérèse of Lisieux: the Story of a Mission*. London and New York: Sheed and Ward, 1953.

Weber, Alison. *Teresa of Avila and the Rhetoric of Femininity*. Princeton, New Jersey: Princeton University Press, 1990.

Williams, Rowan. *Teresa of Avilla*. (Outstanding Christian Thinker Series) Connecticut: Morehouse Publishing, 1991.

六、敬虔傳統

Battles, Ford Lewis. *The Piety of John Calvin*. Grand Rapids, Michigan: Baker Book House, 1978.

Bloesch, Donald G. *The Crisis of Piety: Essays Towards a Theology of the Christian Life*. Grand Rapids, Michigan: W. B. Eerdmans Publishing Company, 1968.

Gillett. David K. *Trust and Obey: Exploration in Evangelical Spirituality*. London: Darton Longman+Todd, 1993.

Grenz Stanley J. "Revisioning Evangelical Spirituality" in *Revisioning Evangelical Theology: A Fresh Agenda for the 21st Century*. Downers Grove, Illinois: Inter-Varsity Press, 1993. (pp. 37-60)

參考書目

Gordon, James M. *Evangelical Spirituality: From the Wesleys to John Stott*. London: SPCK, 1991.

Leith, John H. *John Calvin's Doctrine of the Christian Life*. Louisville, Kentucky: Westminster/John Knox Press, 1989.

Lovelace, Richard F. *Dynamic of Spiritual Life: An Evangelical Theology of Renewal*. Downers Grove, Illinois: Inter-Varsity Press, 1979.

McGrath, Alister. *Roots that Refresh: A Celebration of Reformation Spirituality*. London: Hodder & Stoughton, 1991.

Packer, James I. *A Passion For Holiness*. Cambridge: Crossway Books, 1992.

Packer, J. I. & Wilkinson Loren. ed. *Alive to God: Studies in Spirituality, Presented to James Houston*. Downers Grove, Illinois: Inter-Varsity Press, 1992.

Rice, Howard L. *Reformed Spirituality*. Louisville, Kentucky: Westminster/John Knox Press, 1991.

Senn, Frank C. ed. *Protestant Spiritual Tradition*. New York: Paulist Press, 1986.

Wallace, Ronald S. *Calvin's Doctrine of The Christian Life*. Texas: Geneva Divinity School Press, 1959.

Warfield, Benjamin B. *Perfectionism*. Philadelphia: The Presbyterian and Reformed Publishing Company, 1958.

Walsh, James. Editor. *Spirituality Through the Centuries, Ascetics and Mystics of the Western Church*. London: Burns & Oates,

Webber, Robert C. "The Restoration of Historical Spirituality" in *Common Roots: A Call to Evangelical Maturity*. Grand Rapids, Michigan: Zondervan Publishing House, 1978. (pp.219-244.)

Weborg, C. John. "Pietism: Theology in Service of Living Toward God." in*The Variety of American Evangelicalism*. edited by Donald W. Dayton and Robert K. Johnston. Downers Grove, Illinois: Inter-Varsity Press, 1991.(pp.161-183.)

291

七、現代靈修學

Adams, Daniel J. *Thomas Merton's Shared Contemplation*. Kalamazoo, Michigan: Cistercian Publications, Inc., 1979.

Alexander, Donald L. ed. *Christian Spirituality: Five Views of Sanctification*. Downers Grove, Illinois: Inter-Varsity Press, 1988.

Callahan, Annice. *Spiritual Guides for Today*. New York: Crossroad Publishing Company, 1992.

Crabtree, Harriet. *The Christian Life: Traditional Metaphors and Contemporary Theologies*. Minneapolis: Fortress Press, 1991.

Fenhagen, James C. *More than Wanderers: Spiritual Disciplines for Christian Ministry*. New York: The Seabury Press, 1981.

Macquarrie, John. *Paths in Spirituality*. London: SCM Press Ltd.,1972.

Pannenberg, Wolfhart. *Christian Spirituality*. Philadelphia: The Westminster Press, 1983.

Tastard, Terry. *The Spark in the Soul: Four Mystics on Justice*. New York: Paulist Press, 1989.

Thompson, William M. *Christology and Spirituality*. New York: The Crossroad Publishing Company, 1991.

Underhill, Evelyn. *The Spiritual Life*. London: Mowbray, 1955.

八、祈禱與默想

Kelsey, Morton T. *The Other Side of Silence*. New York: Paulist Press, 1976.

Toon Peter. *From Mind to Heart: Christian Meditation Today*. Grand Rapids, Michigan: Baker Book House, 1987.

Ulanov, Ann & Barry. *Primary Speech: A Psychology of Prayer*. London: SCM Press Ltd., 1982.

九、靈性指導與原則

Kelsey, Morton T. *Companions on the Inner Way: The Art of Spiritual Guidance*. New York: The Crossroad Publishing Company, 1987.

Leech, Kenneth. *Soul Friend: The Practice of Christian Spirituality*. San Francisco: Harper & Row, Publishers, 1977.

Willard, Dallas. *The Spirit of the Disciplines: Understanding How God Changes Lives*. San Francisco: Harper & Row, Publishers, 1988.

十、普世聖靈工作

Arai, Tosh and Ariarajah, Wesley. *Spirituality in Interfaith Dialogue*. Geneva: WCC Publications, 1989.

Hinson, E. Glenn. Editor. *Spirituality in Ecumenical Perspective*. Louisville, Kentucky: Westminster/John Knox Press, 1993.

新版推薦：有情的靈修

我們活在一個缺乏「情」的時代。對於情，我們也缺乏恆切的委身。但有一群人是踏著戀慕的腳步走過來的。

《無以名之的雲》就是一群戀慕者的告白。但正如所有屬靈操練的書籍，讀者必需要用心、用情，以及在禱告默想中去細讀才能明白的書。在喧鬧的都市、政治經濟瞬息萬變的時代，周學信老師從歷史及默觀的角度來告訴我們在歷史的軌跡中，曾有一群人，勇敢的去愛。

無論是流離於曠野的沙漠教父、矢志修道、甘於貧窮虛己的修道者，又或是苦苦戀慕上主、默觀基督，並道成肉身的行道者，周老師都以清純樸實的筆觸，一一將這些熱愛上帝及生命的人物，徐徐道來。

閱讀古典本身不單是靈修，也是一種生活的態度與方式，但讀者必須帶著感情去閱讀這些有情的生命。就像是一個品茗的人，獨自在寧靜中享受甘香的茶，缺乏歷史感

的現代教會，在「卻顧所來徑」的提示下，我們或許可以在誠品的一角，或在台北某個精緻的咖啡廳，與這些聖徒重遇。所以，很多靈修古典都不會落墨下筆於我們應該怎樣分析或行動，而是好像在告訴我們單純的信仰就是靈裏的凝視，及在驀然回首中的發現。

靈修是一回怎麼樣的事呢？我們必須徹底突破舊有的框框，重新正名靈修（Spirituality）就是生命的情操。我們的神既是一位有情的神，我們就必須帶著感情去親近祂、追尋祂，在安靜中去默想聖言，傾聽天籟、訴說心情。古典的靈修，是親密又親身的體驗，屬靈生命的形成是有血有肉的，也是感人肺腑的，無論生活所帶給我們的是喜或憂、苦或甜，我們必順服學習作一個有情人，不然我們的成長就會顯得片面了。

以真摯的心靈讀書，不單會讀出動人的生命，也會在不知不覺間體會出「與己相感」及「與神相交」的真諦！

靈根自植國際網絡

蔡貴恆牧師

校園書房出版社 *Spirituality* 心靈小站

這是一個鼓動人心，讓靈性綻放活力的支援書類

書名	作者	譯者	建議售價
住在基督裏	慕安得烈	校園編輯室	180元
親眼見祢——十個扭轉性的禱告	韋約翰	葉淑和等	150元
禱告的學校	慕安得烈	董挽華等	185元
你也能忙中取靜——談禱告	海波斯	吳碧霜	180元
讚美手札	路得·麥爾	顧瓊華	120元
聽主微聲——與耶穌一同禱告	畢德生	徐成德	180元
讚美365	魏爾森	丁琪	250元
浪子回頭——一個歸家的故事	盧雲	徐成德	170元
心靈麵包	盧雲	徐成德	280元
飛鴻22帖——魯益師論禱告	魯益師	龐自堅等	190元
天路之旅	麥葛福	白陳毓華	165元
靜修之旅	張修齊		150元
詩情禱語——與詩篇一起禱告	畢德生	張玫珊	350元
戀戀福爾摩沙	羅白如雪	溫肇垣	170元
有效禱告十五訣	沙利文·休斯	樓曄敏	100元
給你的禮物	路卡杜	徐成德、李靈芝	180元
恩典時刻	路卡杜	洪淑慧等	280元
天天為婚姻禱告	考柏夫婦	吳品	250元
天天為孩子禱告	考柏夫婦	江惠蓮、鄧嘉宛	250元